自来也

油

ド根性忍伝

DOKONJO NINDEN

自来也

岸本斉史
東山彰良

この作品はフィクションです。
実在の人物・団体・事件などにはいっさい関係ありません。

目次

人物紹介

ナルト
儵《しゅく》の上忍

ツユ
儵《しゅく》の上忍

レンゲ
儵《しゅく》の上忍

ニカク
儵《しゅく》の忍

シマ
混《こん》の忍

コカゲ
儵《しゅく》の里長

ムエイ
忽《こつ》の里長

カオス
混《こん》の里長

儵《しゅく》忽《こつ》混《こん》沌《とん》絵《え》図《ず》
忽《こつ》
百亀山《ひゃっきざん》
沌《とん》
混《こん》
儵《しゅく》
蝦蟇油
自来也

百万の痛み
悲しみ
なおも
彼方の光を信じるすべての者たちへ

プロローグ

オレの名は

背後から空気を裂《さ》くような音が近づいてくる。

彼がとっさに樹《き》の陰《かげ》に身を寄せると、敵の投げた短刀が、カカカカッ、と幹に突き刺さった。

「そろそろ観念したらどうだ？」声がした。「鬼ごっこもそろそろ飽《あ》きてきたぜ」

肩で息をしながら、彼は腰の雑嚢《ざつのう》を探った。クナイが一本と、煙玉《けむりだま》がふたつ。

すかさず煙玉をとり出し、後手《うしろで》に敵にぶつける。

ボンッ、という破裂音につづき、敵が煙に巻かれた。

彼は樹の陰から飛び出し、クナイを握《にぎ》りしめ、煙のなかの影に挑《いど》みかかる。

ギンッ！　ギンッ！

刀身のぶつかり合う音が森に谺《こだま》した。

ギンッ！　ギンッ！

「ぐあ！」

思わず膝《ひざ》をついた。煙がゆっくり晴れると、目の前に敵の短刀があった。

「諦《あきら》めろ」と、敵の忍《しのび》が言った。

彼は膝に手をつき、どうにか体を押し上げながらつぶやいた。「一言《ひとこと》いいか……」

「聞く気はねェ……」そう言うなり、短刀を構《かま》えた敵が体ごとぶつかってくる。「もう、くたばれ！」

その勢いで、彼の体は樹の幹に押しつけられた。

「オレが諦めるのを――」つぎの瞬間、彼の体が、ボンッ、とはじけて煙と消え、本体が敵の背後にあらわれた。「諦めろ」

首のうしろに手刀《しゅとう》をたたきつけてやると、敵はドサッと崩《くず》れ落《お》ちた。

「くっ……」倒れた敵が嘲笑《あざわら》う。「オ……オレを倒しても、またつぎの刺客《しかく》がこの里を襲《おそ》う……」

彼は静かに敵を見下ろした。

「ケケケ……オレたちが呪《のろ》われた忍の世界に……生きているかぎり平穏《へいおん》は……ない」

「なら……オレがその呪いを解《と》いてやる」彼は消えゆくチャクラをどうにか束《たば》ね、やっとの思いで立っていた。「平和ってのがもしあるなら、オレがそれを掴《つか》み取《と》ってやる！　オ

レは諦めない！」

双方《そうほう》の視線が交《まじ》わる。

木の葉が音もなく舞い落ちた。

「き……きさまは……？」

彼は樹々のあいだから青空を仰《あお》ぎ見《み》た。

「オレの名は――」

南の王様を儵《しゅく》といい、北の王様を忽《こつ》といい、中央の王様を混沌《こんとん》という。

儵《しゅく》と忽《こつ》はしばしば混沌《こんとん》の領地で会合をしたが、そのつど手厚いもてなしを受けた。ふたりは混沌《こんとん》になにか礼をしようと相談した。

「どうだろう、人間はみな目耳口鼻あわせて七つの穴があり、それで見たり、聞いたり、食ったり、息をしたりするのだが、混沌《こんとん》にはそれがない。ひとつ、顔に穴をあけてさしあげては」

話が決まると、ふたりは一日にひとつずつ穴をあけていった。

そして、七日目――混沌《こんとん》は死んだ。

第一章

任務

1

草むらから飛び出したナルトは、四方に目を走らせ、一気に岩壁まで駆け抜けた。

よし！

チャクラを集中して、岩壁のむこうにいる標的《ターゲット》の数を見極《みきわ》める。二、三、四……六人だ。

呼吸を整《ととの》え、岩壁をのぼり、上縁から目だけをのぞかせる。

「こう霧《きり》が濃《こ》くっちゃ、なんも見えやしねェ……よし！」

乳白色の霧のなかでうごめく標的《ターゲット》の影をにらみつけながら、ナルトは手早く印《いん》を結んだ。

未《ひつじ》！

申《さる》！

酉《とり》！

戌《いぬ》！

「迅風覇斬《じんぷうはざん》！」

すると、一陣《いちじん》の風がどっと吹きつけ、いまいましい霧がゆらめき、人影の輪郭《りんかく》がくっきりと浮かび上がった。

「おお！」ナルトは思わず身を乗り出してしまう。

相手を傷つけずに、霧だけを散らせなくてはならない。いくら仙術《せんじゅつ》を修得《しゅうとく》した身といえど、雑念だらけの状態ではチャクラのコントロールがむずかしい。

風がやむと、霧はまた音もなく人影を呑《の》みこんでしまった。

「くそ、もうちょっとだったのに」舌打ちをして、また印を結ぶ。「こうなったら、もう一度迅風覇斬《じんぷうはざん》で……」

「なにがもうちょっとなの？」

「……っ！」

印を結ぶナルトの手が止まる。

「あんたって人はまた性懲《しょうこ》りもなく……」

滝のような冷汗が顔を流れ落ちた。

「忍術をこんなことに使うなんて、ほんとにいっぺん死なないとわからないみたいね」

その押し殺したような声に、ナルトはすっかり縮み上がった。

奥歯がガチガチと鳴りだす。

おそるおそるふりかえると、ツユはもう高々と足をふり上げていた。

「このエロたわけっ！」

「ぬお！」

顔面を蹴飛《けと》ばされたナルトは、空中にきれいな弧《こ》を描いて露天風呂に落ち、入浴中の女の子たちをパニックにおとしいれた。

「キャー！」全員がいっせいに悲鳴を上げ、ナルトを八《や》つ裂《ざ》きにする。「変態！」

「いてててっ！　あちちちっ！」

女の子たちの攻撃をのがれ、湯をバシャバシャはね上げながらなんとか風呂の縁《へり》にたどり着いたナルトだが、そこには仁王立《におうだ》ちのツユが腕組みをして待っている。

「いやっ！　待て、ツユ！」

「バカナルト！」ツユは待ってくれない。容赦《ようしゃ》なくナルトの顔面にガツガツと蹴りを入れる。「あんたなんか！　あんたなんか！」

ズタボロになったナルトが力つきて湯船にぷかぷか浮かんでも、ツユの怒《いか》りはぜんぜん

おさまらない。

「おらおらおら！」ずぶ濡《ぬ》れのナルトを片手でひっぱり上げると、今度は馬乗りになってガンガン殴《なぐ》る。「このエロたわけっ！」

「もうそのへんで許してやれ」シュウが頃合《ころあい》を見計《みはか》らってツユの肩に手をかけなければ、ナルトは一巻の終わりだったにちがいない。「それに、いまはこんなことをしている場合じゃない」

「シュウ先生……」ツユがハッと我《われ》にかえる。「あたし……あっ、ナルト！」

ツユに胸倉《むなぐら》を掴《つか》まれたままぐったりしているナルトは、もうすっかり白目をむいて、口から泡を噴《ふ》いている。

「ツユ、お前は医療忍者なんだから、そのすぐにキレる性格をどうにかしなきゃダメだぞ」

「あたし、あたし……ごめんねっ、ナルト！」

ツユはそう叫んでナルトを抱きしめるが、そのせいでナルトの肋骨《ろっこつ》がすくなくとも三本は折れてしまう。

「ぐ……こ、殺される……」

んだぞ」

「さあ、早くナルトを治してやれ」シュウが言った。「三代目様が上忍《じょうにん》に召集をかけてる

2

執務殿《しつむでん》に足を踏み入れたとたん、ナルトはその異様な空気にたじろいでしまった。

ふだんは明るい部屋なのに、窓は全部閉じられ、おまけにカーテンまで引かれている。

部屋の真ん中にいる三代目里長《さとおさ》、真昼《まひる》コカゲをとりかこむようにして、ロウソクがともっている。

それぞれのロウソクの前には、すっかり戦闘準備の整《ととの》った上忍《じょうにん》たちが神妙にひかえていた。

ナルトは固唾《かたず》を呑《の》んだが、それはツユもおなじだった。前にこの光景を見たことがある者なら、だれだってそうしただろう。

「どうしたんじゃ、そのケガは?」ナルトのなりを見て、真昼コカゲが声をかけてきた。

「いや、べつに……」ナルトは言葉をにごし、ツユに耳打ちをする。「なんか、第二次忍《にん》

界《かい》大戦のときみたいだな」

「うん」

「シュウ先生からなんか聞いてねェのか?」

「あたしはなにも……」

「ナルト、ツユ」シュウがふたりをたしなめた。「早く自分の場所につけ」

ふたりは顔を見合わせ、ならんで自分のロウソクの前に立った。

儵《しゅく》の里では、重大な任務の前には、かならずこうしてロウソクがともされる。ロウソクの炎で忍《しのび》たちのチャクラの乱れを感知するために。

ナルトは執務殿を見まわすが、ゆれている炎はひとつもない。つまり、精鋭《せいえい》ばかりがあつめられたということだ。

主《あるじ》のない炎がひとつ。

「ツユ」ナルトはまたツユに耳打ちをした。「レンゲはどうした?」

ツユが首をふる。

「さてと。情報が混乱しとってまだ正確なことはわからんが、どうやら沌《とん》の里が消えてしまったようじゃ」

真昼コカゲがそう言って切りだすと、上忍たちの目がいっせいに鈍《にぶ》く光った。

「沌《とん》の里を消し去ったのは百亀山《ひゃっきざん》らしい」ゆれている炎がひとつもないことをたしかめてから、真昼コカゲは話をつづけた。「みなも承知のとおり、百亀山は沌《とん》の里から四十キロばかり東へいったところにある。その百亀山が、沌《とん》の里があったはずの場所へ動いておるそうじゃ」

「はあ?」ナルトはこらえきれずに声を上げた。「なに言ってんだ、ジジイ? 山が動くわけねェだろ」

「黙れ」シュウがすかさずナルトの頭に拳骨《げんこつ》を見舞う。「三代目様の話をちゃんと聞け」

「痛《いて》っ!」

「いや、ナルトがそう言うのも無理はない。わしもこの歳《とし》まで生きてきたが、そんな荒唐《こうとう》無稽《むけい》な話は知らん」真昼コカゲは白い顎《あご》ヒゲを撫《な》で、すこし考えてからまた口を開いた。「だが、もし本当に百亀山が動いて沌《とん》の里をつぶしたのだとしたら、心当たりがなくはない」

重苦しい沈黙が執務殿にたちこめた。

ロウソクの炎は相変《あいか》わらず凍《こお》りついたように動かない。

が、封天鼠大師《ふうてんそだいし》に仙術《せんじゅつ》をしこまれ、自然エネルギーを身につけたナルトには、忍たちのチャクラがかすかに乱れたことがわかった。

そして、わかったことは、ほかにもある。それは、レンゲがもうこの里にはいないのだということ。

横目でとなりをうかがうと、炎に照りかえされたツユの横顔があった。

「どこから話したもんかのォ」そうつぶやいてから、真昼コカゲは語りはじめた。「第一次忍界大戦のころの話じゃ。そのころの里の勢力図はいまとはぜんぜんちがっておった。我《われ》ら儵《しゅく》は南に、北には忽《こつ》の里、そして儵《しゅく》と忽《こつ》のちょうど中間にあったのが混沌《こんとん》の里じゃ。混沌《こんとん》は百亀山の麓《ふもと》にある、美しい里じゃった。水は豊かで、人々は礼節を重んじ、学問が盛んな土地柄《とちがら》じゃった。忽《こつ》はそこに目をつけたんじゃ。混沌《こんとん》をとりこんでしまえば、忽《こつ》の勢力は絶大なものになる。我ら儵《しゅく》を凌駕《りょうが》するほどに。しかし、混沌《こんとん》は大国に支配されることを拒《こば》んだ。そこで、我らに保護を求めてきたというわけじゃ」

「ちょっと待ってくれよ」ナルトはまたしても口をはさむ。「その混沌《こんとん》の里からすれば、オレらだって大国だろ? それに、オレらが混沌《こんとん》をふたつに分けて混《こん》の里と沌《とん》の里にしたんだろ?」

沌《とん》ノ里 消滅ノ噂図

「そのとおりじゃ」ナルトの頭を殴《なぐ》ろうとするシュウを真昼コカゲが手で制する。「混沌《こんとん》の里にしてみれば、倏《しゅく》も忽《こつ》も似たもの同士じゃった。混沌《こんとん》は侵略者から己《おのれ》の身を守るために、やむなくもうひとりの侵略者の力を借りたんじゃ」

ナルトが口をつぐむ。

「小国を武力で制圧しようとする忽《こつ》に対抗して、倏《しゅく》と混沌《こんとん》で合同研究チームがつくられたんじゃ。倏《しゅく》が費用と設備を提供し、混沌《こんとん》が頭脳を提供するという形でな。我らはそれまでにないほどの破壊力を持った禁術の開発に血眼《ちまなこ》になった。が、完成を目前にして忽《こつ》が降伏《こうふく》してしまったんじゃ」

「その話、聞いたことがあります」ツユが口を開く。「葬天《そうてん》計画ですね。天をも葬《ほうむ》り去《さ》る壮大《そうだい》な禁術開発計画だったとアカデミーで教わりました」

「しかし、その後のことは知るまい?」

ツユの眉間《みけん》にしわが寄る。

「第一次忍界大戦が終結して休戦に入ったのを機に」真昼コカゲのかわりに、シュウが言った。「我ら倏《しゅく》の二代目里長、真昼カエン様は葬天計画にかかわった者たちをすべて抹殺《まっさつ》なされた」

「そんな！」声を張り上げたせいで、ツユのロウソクの炎がゆれた。「嘘《うそ》よ！」

「それはけっして完成させてはならん禁術じゃったんじゃ」真昼コカゲが話を継《つ》ぐ。「二代目は……つまり、わしの兄は、どうしてもそれを封じこめる必要があったんじゃよ。混《こん》沌《とん》の里をふたつに分けたのも、そのためじゃ。たとえ禁術の知識がどこかでもれていたとしても、知識を持つ者同士が出会うのを極力ふせぐためにのォ」

「だけど……」

「戦争だったんだ」シュウがツユを諌《いさ》めた。「二代目様の心のうちも察してやれ」

ツユは拳《こぶし》を握《にぎ》りしめ、うつむいてしまう。

ナルトはそのふるえる細い肩を見てから、真昼コカゲにむきなおった。

「つまり、そのなんちゃら計画のときの禁術が完成したってことかよ？」

「いまの段階ではなんとも言えん」

「………」

「沌《とん》がもう消滅したんなら、混《こん》のほうに手がかりを求めるしかないのォ」

「その禁術、名前はあんのかよ？」

「愚《ぐ》公《こう》移《い》山《ざん》じゃ」

「グコウイザン……」

「が、どう発動するのか、それにどんな代償《だいしょう》があるのか、だれにもわからん。なにせ、開発が中止された技《わざ》じゃからな」

「だけど、百亀山を動かせるくらいの大技ってそれしかねェんだろ?」

「それをいまからお前たちが探ってくるんじゃ」

「よっしゃ」ナルトは拳をてのひらに打ちつけた。「じゃあ、さっさと混《こん》の里にいこうぜ」

「あわてるでない。いま中忍《ちゅうにん》を放《はな》って、沌《とん》の生き残りの者たちから情報をあつめておるところじゃ」

その声が消える前に、キツネの面をつけた諜報部《ちょうほうぶ》の忍が真昼コカゲの背後にすっとあらわれた。

キツネの面は真昼コカゲに何事か耳打ちをし、ふっとかき消えてしまう。

ロウソクの炎はすこしも乱れていない。

「なんだよ?」と、意気ごむナルト。「なんかわかったのかよ?」

真昼コカゲはナルトにじっと視線をそそぎ、重たそうに口を動かした。「ナルトとツユ、

お前たちにはべつの任務にあたってもらわねばならん」

ナルトは目を細め、ツユは顔を上げる。

「レンゲが里を抜けたそうじゃ」

「……え？」

「お前たちはこれからレンゲを追い」真昼コカゲが言った。「抜《ぬ》け忍《にん》として抹殺せよ」

3

ツユはラーメンには手をつけず、ずっとうなだれたままだった。

「食えよ」ナルトはラーメンをすすりながら、陽気に声をかける。「せっかくオレがおごってやってんだからよ」

が、ツユの頬《ほお》を流れ落ちる涙は止まらない。

「なんかのまちがいだって」

返事はない。

「とにかくレンゲの野郎を見つけ出したら、オレが三代目のジジイにかけ合ってやるから

さ」

「……ナルト」

「ん？」

「あんたの親も、レンゲの親も、第一次忍界《にんかい》大戦では二代目様といっしょに戦ったんでしょ？」

「ああ」

「なのに、あんたとレンゲって、いっつもケンカばっかりだったわね」

「そこ、過去形で話すなよ」ナルトはドンブリを持ち上げて、ラーメンをズルズルすする。

「オレはべつに本気であの野郎のことがきらいなわけじゃねェし」

「でも、レンゲは本気であんたのことをきらってた」

「………」

「ううん、もしかしたら、レンゲはあんたのことがうらやましかったのかもしれない」

「なんだよ、それ？」

「ナルト、あんたにとって忍者ってなに？」

「なんだよ、急に」

「答えて」

「わかんねェよ。親父《おやじ》はよく『忍者ってのは忍《しの》び堪《た》える者』だって言ってたらしいけど、どうも二代目様の受け売りっぽいしな」

「レンゲはね」ツユは顔を上げ、涙で潤《うる》んだ目をナルトにむけた。「忍者なんてしょせん戦争の道具だって言ってた。もし自分のお父さんも、ナルト、あんたのお父さんみたいに戦場で戦死してたら、もっとちがうふうに感じることができたかもしれない、って」

「オレもレンゲも自分の親父に会ったことはねェ。親父がどう死んだかなんて、あとからだれかに聞いた話なんだ。ほんとか嘘《うそ》か、わかったもんじゃやねェや」

「今日、三代目様の話を聞いて、あたし、レンゲが言いたかったことがやっとわかった気がする」

「レンゲが言いたかったこと?」

「レンゲのお父さんは葬天《そうてん》計画にかかわってたんじゃないかな」

「だから二代目様に殺されたってか?　考えすぎだよ」

「いつか、レンゲが言ってた。『自分の頭で考えろ、けっして道具にはなるな』って」ツユはつづける。「たしかに忍者とは忍び堪える者かもしれない。でも、それってひょっと

すると、だれかがあたしたちをコントロールするために……あたしたちをただの道具に仕立て上げるために広めた、きれいごとなのかもしれない。二代目様がこの里のことを想《おも》ってなかったたって言ってるわけじゃない。でも、もっとほかに方法はなかったの？　忍者は忍び堪える者だなんてかっこつける前に、もっとほかの道が……だって、戦争が終わったのに、それまでいっしょに戦ってきた仲間を処刑するなんて！」

「でもさ、二代目様の心配がいま現実になってるじゃん」

「あたしが言いたいのもそこなの。けっきょく葬天計画はもれてしまった」

「………」

「じゃあ、二代目様に殺されちゃった人たちは、いったいなんのために死んだの？　無駄死にじゃない」

ナルトはドンブリをおき、腕組みをして、いっとき戦争について真剣に考えた。

が、頭をよぎることといったら、三日前にレンゲと交《か》わした言葉ばかり。

「ナルト、知ってるか？　この世は円を描いているんだ」あのとき、レンゲはそう言ったっけ。「有の行き着くところは無、無の行き着くところは有なんだ」

ナルトにはチンプンカンプンだった。だから、こう返事をした。「なに言ってんだ、お前？　いきなり人んちにきて、わけのわかんねェこと言うな」

「お前とはいろいろあったな」レンゲが言った。「はじめてお前とツユに会ったのは、アカデミーを卒業してすぐだから、六歳のときだ」

「なんかあったのか、お前？」

「覚えてるか？　はじめて三人で本気でケンカしたときのことを」

「ああ」ナルトが吹きだす。「三人ともひっこみがつかなくなって、口寄《くちよ》せまでやったな。里じゅうが大騒ぎになって、シュウ先生にこっぴどくぶん殴《なぐ》られたっけ」

「お前はツユのこととなると、すぐにカッとなる」

「お前がツユに冷たすぎるんだよ。あいつの気持ちは知ってるくせに」

「シュウ先生との修業は楽しかったな」

「最高の先生だ」

「最高の先生か……」レンゲの表情が青白い顔の下に沈んでゆく。「オレはずっとお前のことが不思議でならなかった」

「なにがだよ？」

「親を戦《いくさ》でなくしているのに、なぜそれほどまでにこの里に忠実でいられるのか」

「んなの、あたりめーだろ。ここはオレらの家なんだからよ」

「この里がすべてか?」

「お前はそうじゃねェのか?」

「オレとお前のちがいはそこだ」

「……」

「家だと思うには、オレにとって倏《しゅく》の里は大きくなりすぎた」

「レンゲ……」

「覚えておけ、ナルト、万物は……」

「万物は円を描いている、だろ?」

「そうだ」レンゲがうなずく。「万物は自分の尻尾《しっぽ》を喰《く》らう蛇《へび》のように円を描いている」

「はいはい。大の行き着くところは小、小の行き着くところは大なんだろ? もう耳にタコができたよ」

「いずれお前のその忠誠心《ちゅうせいしん》が試されるときがくる」レンゲはそう言った。「善の行き着くところは悪、悪の行き着くところは善なんだ」

ちくしょう、いったいレンゲになにがあったってんだ……？

ナルトはドンブリをにらみつけながら、あの夜のレンゲの後姿《うしろすがた》を見ていた。長い髪、着《き》流《なが》しの背中の百足《むかで》の紋《もん》――そして、ツユの悲しみを全身で感じていた。

「心配すんな、ツユ」

ツユがこちらに顔をむける。

「オレは頭悪《わり》ィから、いろんなことをいっぺんに考えらんねェ。忍者ってもんがなんなのか、ちゃんと考えてみたこともなかった。上からあたえられた任務をちゃんとこなしていけば、それで里のみんながよろこぶんだって信じてた」

「ナルト……？」

「けど、レンゲはオレたちの仲間だ」ナルトはツユにニカッと笑ってみせた。「三代目のジジイがなんと言おうと、オレがぜってーにレンゲを守ってやっからよ」

ツユがまたすこしだけ泣いた。

4

真夜中をすぎても寝つけず、ナルトはベッドを抜け出して、朧月《おぼろづき》に照らされた道をとぼとぼ歩いた。

春の風がやさしく吹きつけ、桜の花びらがはらはらと舞った。

里じゅうが眠りについている丑三《うしみ》つ時《どき》にも、忍《しのび》の気配はいたるところにある。暗闇《くらやみ》でひっそりと目を光らせ、人知れずに里人《さとびと》の夢を守っている。

ナルトは歩き、レンゲの家の前に立つ。

すこしためらってから、扉を開けてなかへ入った。

暗い。

部屋のなかはすっかり片づいていた。

窓から射《さ》しこむ月光が、床に落ちている。

ナルトはレンゲの気配を探したが、寝具のないむき出しのベッドを見たとき、レンゲが本気で里を抜けたのだとわかった。

「レンゲ……」そうつぶやいていた。「お前、いったいどうしちまったんだよ……」

背中に鋭い痛みを感じたのは、そのときだった。

「……っ！」

跳《と》びすさったナルトの耳に、チキチキチキ、という音が入った。反射的にそちらにクナイを投げつける。

手ごたえありっ！

体勢をたてなおしたナルトの目に飛びこんできたもの、それは一匹の巨大な百足《むかで》。

「レンゲ!?」

が、そんなはずがないことは、ナルト自身が一番よく知っていた。この赤黒い大百足からはなんのチャクラも感じられない。つまり、レンゲが口寄《くちよ》せした怪物ではないということだ。

なんなんだ、この化け物は……まったく気配が感じられなかった。悪寒《おかん》が背筋《せすじ》を駆け上がり、ナルトの混乱した頭をゆさぶった。チャクラもないのに、こいつはいったいどうやって動いているんだ!?

チキチキチキチキ……

顎《あご》のハサミから毒液をしたたらせながら、大百足が鎌首《かまくび》をもたげる。闇のなかでその目だけが赤く光っていた。

チキチキチキチキ……

身構《みがま》えたナルトに、大百足が頭から襲《おそ》いかかってくる。

ナルトが宙に舞ってその攻撃をかわすと、大百足は勢いあまって壁に激突した。

ドンっ！　という轟音《ごうおん》がとどろき、壁が崩《くず》れた。

もうもうと舞い上がる砂塵《さじん》にむかって、ナルトはさらにクナイを二本飛ばした。

手ごたえは、あった。

チキチキチキ……

が、大百足は体に突き刺さった三本のクナイをものともせず、砂塵を突き破ってなおも攻撃してくる。

「………っ！」

さっき刺された背中が、焼けつくように痛む。

そのせいで、ほんの一拍《いっぱく》出遅れたナルトの脚《あし》に、百足の尾が巻きついた。大百足は驚くほどの速さでナルトに巻きつき、ぎゅうぎゅう絞《し》め上《あ》げていく。

「ぐあああ！」

チキチキチキ……

顎のハサミから毒液があふれ、ナルトを頭から濡《ぬ》らした。

腰に差したクナイに手をのばそうとするが、身動きひとつできない。

大百足はふたつの大鎌《おおがま》のような顎でナルトに食らいつく。

万事休す。

が、まっぷたつに裂《さ》かれた瞬間、ナルトの体が、ボンッ、と雲散《うんさん》する。

「こっちだぜ！」

大百足にふりかえる隙《すき》をあたえず、ナルトは印《いん》を結ぶ。

未《ひつじ》！

申《さる》！

酉《とり》！

戌《いぬ》！

「迅風《じんぷう》覇《は》斬《ざん》！」

巻き起こった旋風《せんぷう》は家具をなぎ倒し、大百足を巻きこみ、断末魔《だんまつま》の叫びだけを残して、

その長い体を縦横《じゅうおう》に切り裂いた。

チキチキチキ……

とどめにナルトがその頭にクナイを刺しこむと、大百足の目から光が消えた。

「なんなんだ、こいつは……？」

こま切れになった赤黒い塊《かたまり》のなかに片膝《かたひざ》をつくと、ナルトは着ていたシャツを脱ぎすてた。

背中が熱い。燃えるようだ。ナルトは洗面所へいき、鏡に背中を映《うつ》してみた。

「なんだ、こりゃ……？」

大百足に刺されたところを中心に、まるで蜘蛛《くも》の巣か羅針盤《らしんばん》のような模様が背中一面に広がっている。

途方に暮れるナルトだが、洗面所を出てすぐに、もっと理解できないものを見つけてしまった。

暗闇のなかに、ひときわ暗い闇がある。それが壁にあいた穴だと、ナルトはすぐに気づくことができなかった。

窓の外には月が輝いている。壁が壊れたのなら、月明かりがそこからも射しこむはずじ

ったみたいじゃないか？

　崩壊《ほうかい》した壁に近づいてみて、その理由がわかった。

「隠し部屋……？」

　体を折って穴をくぐったナルトだが、今度は隠し部屋の壁にすっかり目を奪《うば》われてしまった。

「どうなってんだ……？」思わず声がもれる。「なんでこんなもんが……」

　ナルトの目を釘《くぎ》づけにしたもの、それは壁一面に浮かび上がった真っ赤な模様——自分の背中に刻《きざ》みこまれたものと寸分《すんぶん》たがわぬ、羅針盤のような模様だった。

　——覚えておけ、ナルト……

　耳にレンゲの声が甦《よみがえ》る。

　——いずれお前のその忠誠心《ちゅうせいしん》が試されるときがくる……

　ナルトは暗闇に立ちつくし、いつまでも壁の羅針盤を見つめていた。

5

夜が明けて、すぐに召集がかかった。

執務殿《しつむでん》の空気は、昨日《きのう》とはくらべものにならないほど淀《よど》んでいた。おそらく真昼《まひる》コカゲをはじめ、里の幹部たちは一睡《いっすい》もせずにここで状況を分析していたのだろう。

「どうやら、恐れていたことが起こってしまったようじゃ」ロウソクの前にひかえた上忍《じょうにん》たちにむかって、真昼コカゲは静かに告《つ》げた。「沌《とん》の里の生き残りから確認がとれた。沌《とん》の里は百亀山《ひゃっきざん》に押しつぶされる前に、混《こん》の里からの使者を迎えておる」

ロウソクの炎は動かない。

「使者は沌《とん》の里に対して、もう一度ふたつの里を統合して、かつての混沌《こんとん》を復活させようともちかけたそうじゃ」真昼コカゲが言った。「じゃが、沌《とん》はそれを拒否した」

「それで里ごと消されちまったってことか?」と、ナルト。「じゃあ、やっぱりそのなんちゃらって禁術を混《こん》が完成させたってことだな」

「早まるな、ナルト」と、シュウが言う。「オレたち倏《しゅく》と混《こん》は同盟国なんだ。たとえ混《こん》が禁術を完成させたとしても、憶測《おくそく》だけで迂闊《うかつ》なことはできない」

「そんなこと言ってる場合かよ!」ナルトはシュウに食ってかかった。「ここでオレらが後手《ごて》にまわって里になんかあったら、それこそ二代目様の想《おも》いを踏みにじることになるん

だぞ！」

「落ち着け。混《こん》は小国だ。小国には小国なりの駆け引きのやり方がある」

「なんだよ、その小国なりのやり方って？」

「混《こん》は儵《しゅく》と戦《いくさ》をするつもりはないはずだ。そうじゃなかったら、せっかく禁術を完成させたのに、真っ先に沌《とん》の里みたいな小国をつぶすはずがない。オレならまず儵《しゅく》をつぶす」

ナルトは言葉に詰《つ》まる。

「シュウ」真昼コカゲが口を開く。「お前はどう見る？」

「禁術を使った戦に勝者はいません」シュウがかしこまって答える。「勝っても負けても、地獄が待っているんです」

「ふむ」

「混《こん》がもしほんとに沌《とん》をつぶしたのだとすれば、それは各大国に自国の武力をアピールするためだと思います。混《こん》と沌《とん》はもともとおなじ国です。だから、片方がもう片方をつぶしたとしても、我々《われわれ》の目には兄弟ゲンカのように映《うつ》ります。そして、兄弟ゲンカなら、他国は干渉しにくい」

「わしもシュウと同意見じゃ」真昼コカゲがうなずく。「武力で大国と肩をならべること

ができれば、これからいろんな交渉事《こうしょうごと》を有利に展開できるからのォ」

「そんだけかよ？」こらえきれずに、ナルトは声を上げた。「武力のアピールって……たったそんだけのことで、里をいっこ丸ごとつぶしちゃっていいのかよ？」

　ツユがそんなナルトを静かに見つめていた。

「シュウ先生やジジイの言ってることもわかんねェわけじゃねェけど、やっぱ、おかしーだろ？　だってさ……人の命って、そんな簡単に奪《うば》われちゃってもいいのかよ？」

「それが現実なんだよ、ナルト」シュウがさとすように言う。「一歩里を出れば、そこはもうオレたちの常識は通用しない。オレたちが忍《しのび》をやっているのは、おなじ言葉を持たない人間から自分の里を守るためだ。ちがうか？」

「そりゃそうなんだけど、でも……でも、ほかの里のやつらだって、オレらとおなじように自分の里を愛してるわけで……」

「人間の目的はひとつしかない。それはな、ナルト、幸せになることだ」

「……」

「ただ、みんながそれぞれ心に想い描く幸せは、おなじものじゃないんだ」シュウが言った。「だから、戦はつねに起こる」

「じゃあ、平和ってなんなんだよ？　オレらが戦うのは武力をアピールするためなんかじゃねェ。そんなくだらねェことのために命張ってるわけじゃねェや！」

「第一次忍界《にんかい》大戦のあと、各里はしばしの平和を楽しんだ」真昼コカゲが静かに話をひきとる。「みんなが反省をした。どうすれば戦が二度と起こらないか、真剣に考えたもんじゃ。なにせ悲惨《ひさん》な戦だったからのォ。武器があるから戦が起こるんだと言って、忍を追放した里もあった。が、第二次忍界大戦がはじまってみると、そういう里は真っ先に列強の餌食《えじき》になったんじゃ」

ナルトが目をすがめる。「忍は道具かよ？」

「忍は道具じゃ」

「そんな！」ツユが声を上げた。

「平和を守るために、なくてはならん大事な道具じゃ」

「冗談じゃねェや！」ナルトが吼《ほ》えた。「忍は道具なんかじゃねェ！　よくわかんねェけど……だって、ただの道具だなんて言われたら、そりゃだれだって……」

「わしが言いたいのはな、ナルト、ツユ」真昼コカゲが言った。「力なき平和は、ただの空想だということじゃよ」

ナルトは奥歯をグッと噛《か》みしめた。そして、確信した。いま、ツユは自分とおなじものを見ている。それは、レンゲの後姿《うしろすがた》——

「聞け、みなの者！」真昼コカゲの声が高らかに響《ひび》きわたった。「これから我ら儵《しゅく》は、混《こん》に対する最高警戒レベルを発動する」

「承知！」忍たちがひとつの声で返事をする。

「ヨウジ班《はん》、コシ班はすぐに中忍《ちゅうにん》を組織して里の警戒にあたれ——散《さん》！」

「承知！」

声だけを残して、ヨウジ班、コシ班の忍たちはたちまち煙のようにかき消えてしまう。

「チャー班、ハシ班、同様に中忍を組織して、混《こん》の動向を探れ——散！」

「承知！」

このふたつの班もすっと雲散《うんさん》した。

「シュウ班は暗部、諜報部《ちょうほうぶ》と連携《れんけい》し、禁術の解析《かいせき》、および戦の場合にそなえ、混《こん》の里長《さとおさ》の暗殺計画を作成せよ——散！」

「承知！」

シュウの班はロウソクの炎さえ乱さずに散る。

執務殿にはもう、忍たちの気配さえ残ってない。

「さてと、ナルト班にはメンバーを補給せねばならん」

「いらねェよ」と、ナルトがかみつく。「オレとツユだけで充分だ」

「お前たちも名前くらいは聞いたことがあろう」真昼コカゲは頓着《とんちゃく》せずに話を進めた。「鬼駒《おにこま》ニカクにナルト班の応援をたのんでおいた」

「鬼駒ニカクって……」と、ツユ。「あの、人斬《ひとき》りニカクのことですか？」

「だれだよ、それ？」ナルトが尋《たず》ねる。「そんなに有名人なのか？」

「バカ！　人斬りニカクっていえば、第一次忍界大戦のとき、味方の忍まで斬りまくった殺人鬼じゃない」

「ほんとか、ジジイ？」ナルトは真昼コカゲにむきなおる。「なんでそんなやつを任務に参加させるんだよ？」

「でも、その人って、たしか処刑されたんじゃ……」

「それがのォ、なんとも奇天烈《きてれつ》なんじゃが……」真昼コカゲはため息をつく。「まあ、会えばわかる。感知タイプの忍じゃから、役には立つはずじゃ。それより、ナルト、お前はどこか具合が悪いんじゃないかのォ」

「……え？」

「背中にケガをしとりゃせんか？」

「ぜんぜん！」ツユの視線を感じながら、ナルトは大げさにガッツポーズをとった。「このとおり、ほら、ピンピンしてるし！」

「それならいいが」

「ジジイ、オレとツユだけで混《こん》にいかせてくれよ。味方まで斬るような、そんな危ねェやつとスリーマンセルを組むなんて願い下げだぜ」

「そのことで、お前たちに言っておかねばならんことがある」

「なんだよ……？」

「昨夜、諜報部から新《あら》たに報告を受けた」真昼コカゲが言った。「先ほど、わしは沌《とん》の里がつぶされる前に、混《こん》の里からの使者を迎えておったと言ったな？　その使者なんじゃが、最後に百亀山の麓《ふもと》で目撃されておる」

ナルトとツユは顔を見合わせた。

「使者は鯈《しゅく》の額《ひたい》あてをしておったそうじゃ。それだけじゃない。長い髪、着流《きなが》しの背中には百足《むかで》の紋《もん》……」

「ちょ、ちょっと待ってくれよ……」いやな予感がナルトの背筋《せすじ》を這《は》い上《あ》がる。「それってどういうことだよ？　まさかレンゲがその使者だって言いだすんじゃやねェだろうな？」

「わからん」

「そんな……」

「まがりなりにも忽《こつ》の柳生《やぎゅう》ムエイから儵《しゅく》の三忍《さんにん》とたたえられたお前たちじゃ、よもやそんなことはないと信じたいがのォ」

「あったりめーだよ！　だいたいレンゲがなんで混《こん》の使者なんかになるんだよ？」

胸の前で両手を握《にぎ》りしめているツユがうなずく。

「まだなにもわからんが、儵《しゅく》としては放ってはおけん」

「放っておけねェって……」ナルトはゴクリと唾《つば》を呑《の》む。「もしその使者がレンゲだとしたら、あいつはどうなっちまうんだよ？」

「『抜《ぬ》け忍《にん》は始末されねばならぬ』」ツユがふるえる声で言った。「『しかし、禁術にかかわってしまった者、もしくはその可能性のある者は、里の防衛上、その禁術を解明するために研究材料に供《きょう》される場合がある』。アカデミーのときの教科書に……そう書いてあった」

「そのとおりじゃ」

「研究材料ってなんなんだよ?」ナルトの目が真昼コカゲとツユのあいだを行ったり来たりした。「まさか、レンゲがそのなんちゃらって禁術の発動に一枚かんでるって思ってんのか?」

「それをお前たちが突き止めるんじゃ」

「………」

「よって、お前たちの任務を切りかえる」真昼コカゲの目が鈍《にぶ》く光った。「レンゲを追い、生きたまま里に連れもどせ——散!」

6

「レンゲ、いまごろどこにいるのかな」執務殿《しつむでん》の外の階段に腰かけたツユが、だれにともなくつぶやいた。「ねえ、ナルト、レンゲはほんとに禁術にかかわっちゃったと思う?」

「んなわけねーだろ」ナルトはくさくさしながら、ひろった木の枝で雑草をなぎ払った。

「きっとなんか事情があるんだよ」

「ごめんね」

「あ？」

「三代目様が『忍《しのび》は道具だ』っておっしゃったとき、むきになってくれたでしょ？」

「ああ」ナルトは木の枝で雑草を打つ。今度はテレ隠しのために。「へへへ、オレ、頭悪《わり》イから、ジジイになんも言いかえせなかったけどな」

芝生《しばふ》にはロバが一頭、のんきに草を食《は》んでいた。

「ナルトはいっつもそうだね」

「なにが？」

「あたしやレンゲのことでケンカばっかりして」ツユは雲ひとつない空を見上げた。「覚えてる？　口寄《くちよ》せの術ができるようになったばかりのころ、三人で大ゲンカしたことがあったでしょ。とにかくみんな自分が一番強いんだって言い張って」

「ああ、けっきょく三人とも身動きがとれなくなったな」

レンゲと交《か》わした会話の断片が、ナルトの頭をよぎる。善の行き着くところは悪、悪の行き着くところは善――

するとと、背中がすこし熱をおびたように感じた。

「……」

「どうしたの？」

ナルトはツユを見つめ、大百足《おおむかで》に襲《おそ》われたときのことを打ち明けようかと思ったが、けっきょくそうはしなかった。

そのかわり、ニカッと笑ってこう言った。「あんとき、オレは口寄せを覚えたばっかだったから、とにかくやってみたかったんだよ」

ツユが笑った。

「だから、お前らにケンカをふっかけたんだ」ナルトが木の枝を投げすてると、ロバが首をもたげてこっちを見た。「それに、お前らの口寄せ獣《じゅう》のほうが断然かっこいいのも、納《なっ》得《とく》いかなかったしな」

「ありがとね、ナルト」

「あ？」

「あの日、あたしがレンゲにフラれちゃったの、知ってたんでしょ？」

「えっ、いや……」

「あんたって不器用だから、ケンカでもやりゃみんな仲直りできちゃう、なんて思ったんでしょ？」

「べつに、オレはそんなつもりじゃ……」

口をつぐんだふたりのあいだを、春風がやさしく吹き抜けた。

「あのさ、ツユ……」ナルトは思いつめた顔で言った。「お前ってさ……まだレンゲのことが好きなのか？」

が、ツユは悲しそうに微笑《ほほえ》むばかり。

「そっか」

「うん」

「オレじゃあ、ダメなのかよ？」

「え？」

ナルトの真剣な眼差《まなざ》しに、ツユが頰《ほお》をぽっと染《そ》める。

そんなふたりを、芝生のロバが不思議そうに見ていた。

「ナルト……」

「ゲハハ、冗談だ冗談！」

「………」

「男はフラれて強くなる、ってね」ナルトは言った。「お前とレンゲには感謝してる。お

前たちがいたから、オレはここまでがんばってこれた」

ツユがまぶしそうにナルトを見上げた。

「いまのオレは強くなることしか頭にねェ。そんで、いつかぜってーに忍は道具だなんて言われねェ世の中にしてやるんだ」

「あんたはもう充分強いよ」

「な、なんだよ、急に？」

「あたしたちのほうこそ……」ツユが言った。「あんたのド根性には何度もたすけられたんだもん」

「やめろよ、お前らしくもねェ」顔を真っ赤にしたナルトは、どうしていいのかわからない。「へへへ……それにしても遅《おせ》ェな、その人斬《ひとき》りニカクっての！　三代目のクソジジイ、モウロクしちゃったんじゃねェだろうな」

「わたくしなら、もうとっくにきておりますが」

背後から声がかかり、ナルトとツユは同時にふりかえる。

が、だれもいない。

「いま、なんか聞こえたよな？」

「うん」

だが、どこをどう見ても、それらしき人影はない。口をもぐもぐ動かしている、みすぼらしいロバがいるだけだ。首に大きな瓢箪《ひょうたん》をぶら下げている。

「……………?」

首をかしげているふたりのところへ、そのロバが、ぽっくり、ぽっくり、やってきて足を止めた。

「お初にお目にかかります、ナルトさん、ツユさん」

「?」

ナルトとツユはきょろきょろと辺《あた》りを見まわす。

が、人っ子ひとりいない。

「ここですよ、ここ」

ふたりは目の前のロバをのぞきこむ。

「鬼駒《おにこま》ニカクと申します」

「!」

「三代目様の命《めい》により、おふたりの助太刀《すけだち》に参上つかまつりました」耳をぶるっとふるわ

せながら、ロバが言った。「以後、お見知りおきを」

ナルトとツユは顔を見合わせ、同時に叫ぶ。

「えーっ！」

第二章

スリーマンセル？

1

「お話は三代目からうかがっております」と、ニカクは言った。「まあ、腹が減っては戦《いくさ》はできぬと申しますし、ラーメンでも食べてから参《まい》りましょうか」

「いやいやいやいやいや！」ナルトとツユは同時に手をふる。「お前、ロバじゃん！」

「人です」そう言いながらも、ニカクは尻尾《しっぽ》を持ち上げ、ぷりぷりとうんこをする。「あ、すっきりした」

「それ！」と、ほかほかのうんこを指さしながら、ナルト。「まるっきり、ロバじゃん！」

「人です」

「お前、ほんとは口寄《くちよ》せ獣《じゅう》だろ？」

「ちがいます。人です」

「じゃあ、いつからロバになったんだよ？」

「第一次忍界《にんかい》大戦が終結したころからです」

「それって二十年以上も前のことだろ？　ずっとロバやってんのかよ？」

「これには深ぁいわけがあるのです」

「なんだよ、その深ぁいわけって?」

「まあ、そのへんのことは、まったりとラーメンでも食べながら」

「いやいやいやいや、ロバはラーメンなんか食わねェから!」

「だから、人ですってば」

「二十年もロバだったんなら、それはもう立派なロバなんだよ! お前はロバだ!」

「こう見えても、わたくしは感知タイプの忍《しのび》です。きっとレンゲさんを見つけるお役に立てるかと」

「どういうことですか?」ツユが口を開く。「人斬《ひとき》りニカクは処刑されたと聞きました。それに、あなたはどう見ても……」

「ロバだよ、どう見てもロバ!」

「これは世を忍《しの》ぶ仮の姿です」

「それ、仮の姿なんかじゃねェだろ!?」ナルトが拳《こぶし》をふりまわす。「三代目のクソジジイ、ロバとスリーマンセルを組めってか!」

「レンゲさんの写真かなにかをお持ちですか?」

「はい」

ツユが懐《ふところ》にしまった色褪《いろあ》せた写真を差し出す。それはナルトとレンゲとツユが上忍《じょうにん》になったときにいっしょに撮《と》った、最初で最後の記念写真だ。

ニカクはそれをじっと見つめ、パクッとくわえ、むしゃむしゃと食べてしまう。

「あーっ！」ナルトがロバの頭に拳骨《げんこつ》をふり下ろす。「なにしやがんだ、このロバ！」

「落ち着いてください、ナルトさん」と、頭にたんこぶをつくったニカク。「これでレンゲさんの姿はわたくしのなかにインプットされました」

「ぜってーウソだろ！」

「ほんとですか？」と、藁《わら》にもすがる面持《おもも》ちのツユ。「これでレンゲの居場所がわかるんですか？」

「ええ、ええ、わかりますとも」

「どっちへいけばいいですか？」

「うん？」ニカクは右を見て、左を見て、また右を見てから言《い》い放《はな》つ。「あっち」

とたん、ナルトのパンチがロバの顔面に炸裂《さくれつ》した。

「『あっち』、じゃねェんだよ！」バタッと倒れたニカクをナルトが怒鳴《どな》りつける。「わか

ってんだよ、んなこた！　里から出る道は一本しかねェんだからよ！」

「わたくしを怒らせましたね」

「なんだよ？　ロバのくせに、このオレとやろうってのか？　おもしれェ」

「後悔《こうかい》してても知りませんよ」ニカクの目がギラリと光る。それから、地面に倒れたまま、おもむろに嘶《いなな》いた。「ヒヒーン！　ヒヒーン！」

「……」ナルトの目が点になる。「なんのマネだ……？」

「ヒヒーン、ヒヒーン！」

「ちょ、ちょっとナルト……」

ツユの声にふりむくと、通行人が遠巻きにこっちを見ている。

「ヒヒーン、ヒヒーン！」

「おい、ロバをいじめてるやつがいるぞ」通行人たちは口々にそう言いながら、険《けわ》しい顔つきで近づいてくる。「あいつら、ロバをいじめてるぞ」

「！」

ナルトとツユは、パッとニカクを抱きかかえ、土煙を巻き上げながらダッシュした。

「おい、あれを見ろ！」ナルトの背中におぶわれたニカクを見て、道ゆく人たちが口をそ

ろえて言った。「ロバが人にのってるぞ！」

里外《さとはず》れまで一気に突っ走り、そこでナルトは力つきてひっくりかえった。

「参りましたか？」ニカクが勝《か》ち誇《ほこ》ったように言った。「ロバだと思ってわたくしを甘く見ないことです」

「ゼエ、ゼエ、ゼエ……そ、そんな性悪《しょうわる》なロバなんているもんか」道端《みちばた》に倒れたナルトは、あえぎながら青空を見上げた。「なんでロバなんかになっちまったんだよ、ニカク？」

ニカクは、ぽっくり、ぽっくり、とナルトに近づき、その顔を見下ろした。

ナルトのまっすぐな目がニカクを見上げている。

ニカクがふっと微笑《ほほえ》むと、それがナルトにも伝染した。

それからニカクは顔を上げ、遠い目をし、尻尾を持ち上げてぷりぷりとうんこをした。

「てめー！」ナルトがガバッと跳《は》ね起《お》きる。「おちょくってんのかっ！」

「いやあ、失敬、失敬」

「てめーなんざ、やっぱりロバ以外のなにものでもねェや！」

そのやりとりを見ていたツユが、ぷっ、と吹きだす。

「あはははは」

ひさしぶりに見たツユの本当の笑顔に、ナルトはきょとんとなり、気がつけばいっしょになって笑っていた。

「へへへ、へへへ」

「あははは」笑いながら、ツユが言った。「ロバをのせて走った人間なんて、きっとあんただけよ」

「ゲハハ！」

「人間、笑ってるのが一番ですよ」ニカクが言った。「さあ、先を急ぎましょう。わたくしのことは道中、おいおいお話をいたしますから。ラーメンは任務が終わってからにしましょう」

2

第一次忍界《にんかい》大戦は、それはそれはひどい戦《いくさ》でした。

わたくしたちは忽《こつ》の里で戦っていたのですが、そこで多くの敵を殺し、多くの仲間を失いました。

戦には非戦闘員を巻きこまないことになっておりますが、そんなものは建前《たてまえ》です。非戦闘員どころか、女性、子供たち、お年寄りの方々もたくさん巻きこまれて犠牲《ぎせい》になりました。

あまりにもたくさんの血が流れたので、雨が降ると、忽《こつ》の里を流れる川が真っ赤になったほどです。

ナルトさん、ツユさん、あなたがたは、レンゲさんをふくめて忽《こつ》の柳生《やぎゅう》ムエイから倏《しゅく》の三忍《さんにん》と呼ばれた方々です。戦の醜《みにく》さについては、いまさらわたくしが教えて差し上げることはなにもありません。

それでも、言わせてください。

戦の一番醜い部分は、人の心をすっかり廃《すた》れさせてしまうところです。

目から光が消えた子供たちはまるで年寄りみたいに虚《うつ》ろで、子供たちの手本となるべき大人《おとな》は、まるで癇癪《かんしゃく》を起こした子供のように手がつけられなくなるものです。

葬天《そうてん》計画のことは、もう三代目様から聞かされていると思います。

わたくしたち倏《しゅく》と混沌《こんとん》の里は同盟を結び、戦を終わらせるために、本当は手を出してはいけないものに手を出してしまったのです。

そう、禁術、愚公移山《ぐこういざん》です。

その技《わざ》がどんなものかは、わたくしたち上忍《じょうにん》でさえ、ひと握りの者しか知らされませんでした。

が、とにもかくにも愚公移山《ぐこういざん》が完成すればこの戦を終わらせることができる、とみんな本気で信じていました。

わたくしたちが聞かされたことは、こうです。

禁術を発動すれば、たしかに多くの命が失われる。しかし、戦争が長びけば、それよりももっともっと多くの命が失われるのだ、と。

それは、とても単純な算数の問題に思えました。

禁術を発動して失われる命と、戦争をつづけた場合に失われる命。よりすくないほうを選択するのは当然のことです。

わたくしたちのなかに、まともな思考ができる人間など、ひとりもいなかったのです。

この禁術で犠牲になるのが、ほとんど民間人だということにすら気がつかなかったのですから。

愚公移山《ぐこういざん》が発動されれば、これはもう戦闘に巻きこまれて犠牲になるというレベルの話

ではありません。言ってしまえば、民間人を標的にした殺戮《さつりく》なのです。

当時、わたくしたち倏《しゅく》の忍《しのび》は現在のような三人一組《スリーマンセル》ではなく、四人一組《フォーマンセル》という形で任務にあたっておりました。

わたくしは感知タイプとして、いまの里長《さとおさ》の兄上であられます二代目里長、真昼《まひる》カエン様の班《はん》に配属になりました。

そこにはナルトさん、あなたのお父様の鼯鼠《むささび》ライト、そしてレンゲさんのお父様の百足《ももあし》クヌギもおりました。

ご承知のように、葬天計画が実行されることはありませんでした。忽《こつ》の里が降伏《こうふく》してしまったからです。

しかし、忽《こつ》がなぜ急に降伏したのか、アカデミーではありふれたことしか教えていないと思います。

それは、けっして忽《こつ》が倏《しゅく》に恐れをなしたからでも、禁術を恐れたからでもありません。柳生ムエイに率《ひき》いられた忽《こつ》の忍は、それはそれは勇敢でした。戦場では民間人の安全を真っ先に確保するような人たちです。

ただ、その勇敢さの裏には、きゃたつという秘薬があったのです。

どんなに勇敢な忍でも、戦が長びけば、心を蝕《むしば》まれます。なにが正義で、なにが悪か、わからなくなってしまいます。

きゃたつはそんな忍たちの迷いを消し去り、戦場では死をも恐れぬ勇気をあたえてくれるのです。

カエン様の命《めい》にしたがって、わたくしたちは忽《こつ》に潜入してきゃたつを手に入れました。それを研究班にまわし、成分を分析してもらい、ついに新しい秘薬をつくり出すことに成功したのです。

それが、はしごです。

はしごには、驚くべき副作用がつけ加えられました。服用すると、巨大な陶酔《とうすい》感に呑《の》みこまれ、攻撃本能が異様に高まり、誰彼かまわず襲《おそ》いかかります。また、痛覚もマヒし、手足をちぎられても、笑っていられるのです。

わたくしははしごをあたえられたモルモットを見たのですが、みんなおたがいに襲いかかり、食らいつき、体を食い破り、食い破られ、最後には全滅してしまいました。

ひどい薬なのですが、カエン様にしてみれば、それは愚《ぐ》公移《こうい》山《ざん》よりはるかにマシな選択《せんたく》肢《し》だったのではないでしょうか？

戦はまだつづいておりました。

忽《こつ》の駐屯地《ちゅうとんち》にはしごをばらまけば、民間人の犠牲を出すことなく、忍だけに打撃をあたえることができるのですから。

事態はカエン様のにらんだとおりになり、愚公移山《ぐこういざん》が完成する直前に、柳生ムエイは停戦を申しこんできたというわけです。

さて、第一次忍界大戦はこうして終結するのですが、後日談があるのです。

戦勝に酔いしれるわたくしたち儵《しゅく》の駐屯地で、ある夜、忍たちが騒ぎだしました。忽《こつ》に残って戦の後処理《あとしょり》をしていた忍たちです。

騒ぎはどんどん大きくなり、ついには殺し合いにまで発展しました。

ナルトさん、あなたのお父様、ライトが亡《な》くなったのは、このときです。あなたのお父様はちょうど、あなたのお母様へのお手紙を書き終えたところでした。お腹《なか》の子のことを聞くために。

その子が、ナルトさん、あなたです。

どうしてわたくしがそれを知っているのかって？　それは、わたくしがライトにたのまれて、その手紙を出しにいったからです。

駐屯地にもどったわたくしは目を疑いました。だって、味方同士で殺し合いをしているのですから。

ライトは必死で仲間たちを止めようとしました。

が、みんなの目は完全に正体をなくしていました。自分がなにをしているのか、まるでわかっていないみたいでした。

儵《しゅく》の忍たちはまるで酒に酔ったように高らかに笑いながら、おたがいの体を引《ひ》き裂《さ》きました。

ライトはその巻《ま》き添《ぞ》えを食ったのです。

騒ぎが一段落すると、カエン様が真相の究明にのり出されました。

そして、気がつかれたのです。忍たちの体を解剖《かいぼう》し、あの騒ぎの原因がはしごだったということに。

百足《ももあし》クヌギが消えておりました。

カエン様はクヌギに追殺《ついさつ》隊を差しむけました。

忽《こつ》から秘薬を持ち帰ったのはわたくしと、ライトと、クヌギの三人です。ライトは死にました。わたくしは真相がはっきりするまで監禁されました。残るはクヌギだけだったの

です。

それからのことは、わたくしにはわかりません。ある出来事の全体像なんて、だれにもわからないのです。ただ、クヌギがカエン様に討《う》たれたことだけは伝え聞きました。

やがて、疑いが晴れ、わたくしは牢獄《ろうごく》から出されました。

カエン様は愚公移山《ぐこういざん》とともに、はしご事件をも葬《ほうむ》り去《さ》ることにしました。百足《ももあし》クヌギをふくめ、このとき殺し合いをした忍たちを葬天計画に関与したとして自《みずか》らが処刑した、というふうにしてしまわれたのです。

しかし、それにしては死者の数が多すぎました。

悪者を仕立て上げなければ、到底人々を納得《なっとく》させられないほど多くの命が失われたのです。

わたくしはカエン様に乞《こ》われて、「人斬《ひとき》り」の異名《いみょう》をつけられることを承諾《しょうだく》いたしました。カエン様が自ら進んで虐殺者《ぎゃくさつしゃ》の汚名《おめい》を着るというのなら、わたくしにだって人斬りニカクとしてカエン様に処刑されるくらいのことはできます——

「これが儵《しゅく》の裏の歴史の、ほんの一部です」

満天の星空の下で、ツユが目頭《めがしら》をぬぐった。

「じゃあ……」焚火《たきび》に薪《まき》を放りこみながら、ナルトは言った。「そのときから、ニカクのおっちゃんはずっとロバに化けてんのか？」

「どうすれば平和になれるか、わたくし自身が考えた結果です」

ナルトとツユはつぎの言葉を待った。

「忍とは何ぞや？　よく言われるように、それは忍び堪《しのた》える者でしょうか？　それとも、あらゆる忍術を統《す》べる者？　はたまた、戦のための道具？　わたくしに言わせれば、忍とは形です」

「形……」ナルトは膝《ひざ》をかかえた。

「獅子《しし》には獅子の形があり、蚊《か》には蚊の形があります。獅子が百獣の王なのは、獅子がだれよりも強い牙《きば》と爪《つめ》をそなえているからです。それは獅子の形です。蚊が人の生血《いきち》を吸うのは、蚊の口がそのような形をしているからです。つまり、万物は形がその本質なのです」

「なんか、むずかしいな」

「あたし、なんとなくわかる気がするな」ツユがつぶやく。「忍は忍の形に囚《とら》われているから、争いごとがなくならない」

「そのとおりです」と、ニカクが言った。「考えることです。道具は考えません。考える形をしてないからです。考えて、考えて、考え抜いた結果、わたくしの平和の形はロバなのだと気がついたのです」

3

里を出て三日目。

ナルトとツユとニカクは、かつて百亀山《ひゃつきざん》があった場所を目にして、愕然《がくぜん》とした。

草木一本、生《は》えてない。

ぽっかりと、さながら月面のような荒野が目のとどくかぎり、どこまでも広がっていた。

三人は言葉を失ったまま、その荒野を歩きまわった。

ナルトはレンゲのチャクラを感知しようとした。

ニカクはレンゲのにおいを見つけ出そうとした。

――こっちだ……

ナルトはふりかえって、ツユに訊《き》いた。「なんだ？」

「え？」ツユが小首をかしげる。「なにが？」

「いま、なんか言ったろ？」

「べつに、なにも言ってないけど」

「いや……たしかになんか聞こえたんだけど……」

「気のせいじゃない？」

ニカクが、ぽっくり、ぽっくり、やってきて話に加わる。「レンゲさんのにおいは、もう残ってないみたいですね」

「こっちだ」そう言って、ナルトは西を指さした。「レンゲはこっちにいる」

ツユとニカクが顔を見合わせた。

「なんでわかるの？」ツユが尋《たず》ねた。

「なんでって……」言葉が出てこない。「あれ？　なんでだろ？」

「………」

「なんか……よくわかんねェけど、そんな気がしたっつーか……」

「いい加減なこと言わないでよ、ナルトのバカ」

「いいえ」と、ニカクが助け舟を出す。「ここにレンゲさんの痕跡《こんせき》が見あたらない以上、いずれにせよわたくしたちがむかうべきは西です。沌《とん》の里の方角です」

それでツユは納得《なっとく》したが、ナルトはまだ、なにか腑《ふ》に落ちないようだった。

それから日が暮れるまで、三人はレンゲの痕跡を探しまわった。

で、野営《キャンプ》のために森へ入ったとき、ニカクがナルトに小声でささやきかけたのだった。

「気づいてますか、ナルトさん？　わたくしたち、さっきから尾《つ》けられてますよ」

「あったりめーだろ。オレをだれだと思ってんだ」足を止めずに、ナルトが言う。「でも、これってチャクラなのか？」

「どういうこと？」と、腰のクナイに手を這《は》わせるツユ。

「上手《うま》く言えねーんだけど……自然界にあるエネルギーじゃない」

「ナルトさんは封天鼠《ふうてんそ》仙人《せんにん》のもとで修業をつまれたんでしたね」と、ニカク。「自然エネルギーじゃないとすると、なんでしょうかね？」

「わかんねェ。胸がムカムカするような感じなんだけど、そこにふっと純粋なチャクラが流れこんでくるような……」

その言葉が口から出てしまう前に、空気を切《き》り裂《さ》く音とともに、クナイがナルトの背中に突き刺さった。

「！」

地面に崩《くず》れ落《お》ちるナルト。

横っ飛びで樹の陰《かげ》に隠れるツユとニカクだが、その幹にも起爆札《きばくふだ》つきのクナイが刺さり、爆音が轟《とどろ》く。

うつ伏《ぶ》せに倒れたナルトの体が、ボンッ、と煙を噴《ふ》いて丸太に変わる。

「だれだ！」すでに空中に舞い上がっているナルトは、クナイの飛んできたほうに手裏剣《しゅりけん》を投げこんだ。「出てきやがれ！」

と、目の端《はし》に映《うつ》った枝がゆれ、額《ひたい》あてをした顔がナルトの視界をよぎった。

女!?

ナルトは空中で体をひねり、樹の幹を蹴《け》って敵のほうへ跳《と》ぶ。

敵はあわててクナイを投げようとするが、間に合わない。

ナルトは敵の胸倉《むなぐら》を摑《つか》み、喉元《のどもと》にクナイを突きつけたまま、樹の幹にその体を押しつけた。

「何者だ、てめー！」

「放せ！」相手は身をよじるが、その力はびっくりするくらい弱い。

「ナルト！」下からツユが叫ぶ。「大丈夫？」

「ああ、敵を捕まえた」ナルトは返事をし、クナイを相手の喉にグッと押しつけた。「さあ、言え。何者だ？　オレらを傶《しゅく》の忍《しのび》と知って襲《おそ》ったのか？」

「傶《しゅく》の忍も混《こん》の忍もない！」女が髪をふり乱して吼《ほ》えた。「一人一殺《いちにんいっさつ》だ！」

「弱っちーくせにかっこつけんな、こら」

相手の胸倉をねじ上げると、着物がはだけ、ナルトは自然と胸の谷間を見下ろすかっこうになった。

「！」

「お前ら傶《しゅく》がまたろくでもないことをたくらんでるのは、ちゃんとわかってんだからな！」

「へ？」ナルトの鼻息が荒くなる。よく見りゃ、ちょっとかわいい。「オレらがなにをしたってんだよ？」

「とぼけるな！　傶《しゅく》がやってくるときは、いつだって災難のはじまりなんだ！」

「お、女だからってなぁ……よ、容赦《ようしゃ》しねェぞ」が、そう言いつつも、ナルトの目はすっかり女の胸に釘《くぎ》づけになっている。「えへ……えへへ……」

「このエロたわけっ！」

「ぬおっ！」

ツユの蹴りが炸裂《さくれつ》し、ナルトの体はまるで鞠《まり》のように飛ばされ、近くの樹に激突した。

「ごめんね」ツユは女に、にっこりと笑いかけた。「でも、もしあなたが百亀山のことを言ってるんだとしたら、あたしたち儵《しゅく》は関与してないから」

「嘘《うそ》つけ、このペチャパイ！」

ツユの頬《ほお》がぴくっとひきつる。

「洗濯板みたいな体で、しゃあしゃあと嘘をならべてんじゃ……」

バキッ！

ツユが無造作《むぞうさ》にパンチを入れたせいで、樹の幹がそこからぽっきりとへし折れる。

「いまはあたしの胸の話なんかしてないわよね？」

女は目を見開き、ガサガサ音を立てて倒れる樹をちらりと見やり、それから、おびえたように、うなずきまくった。

「自分からおとなしく話すか、この樹みたいにされてから吐《は》かせられるか」ツユはまばたきもせずに言った。「ふたつにひとつよ」

4

焚火《たきび》のまわりには、ナルト、ツユ、そして、縄《なわ》をかけられた女がすわっていた。

ニカクはすこし離れたところで草を食べている。

「まず」と、ツユが口火を切った。「名前は？」

女はこちらをにらみつけるばかりで、口を開こうとしない。

だから、ツユは落ちていた石をひろい上げ、グッと握《にぎ》りつぶしてやった。

「その額《ひたい》あて、あんた、混《こん》の忍《しのび》なんでしょ？」ツユの手から砂になった石がサラサラと流れ落ちる。「だったら、忍の尋問《じんもん》がどんなもんだかは、わかるわよね？」

女がゴクリと固唾《かたず》を呑《の》む。

「おい、ちゃんと答えたほうがいいぞ。こいつのバカ力でぶん殴《なぐ》られて骨の二、三本ですめば、ものすげーラッキーなんだからな」などと余計な口出しをしたナルトは、横《よこ》っ面《つら》を

ツユに裏拳《うらけん》で殴られて、草むらまで吹き飛んだ。

「もう一度訊《き》くわよ」焚火に照らされたツユの顔は、さながら地獄の鬼のようだ。「名前は?」

「殺すなら殺せ!」女がわめく。「そっちが忍なら、こっちだって忍だ! なに訊かれたって言うもんか!」

「……………」

パチパチと火の粉を舞い上がらせる焚火。そのむこうから、女が目をギラギラさせてにらみつけてくる。

ツユがため息をつく。

ふたりはしばらく、おたがいから目をそらさない。

焚火のなかで、小枝がバチッとはぜた。

ぽっくり、ぽっくり、と近づいてくる足音に女が反応した。

「そういう訊き方ではいけませんね」

女の目が点になる。

「お嬢さん」ニカクが言った。「わたくしたちはあなたの敵ではありませんよ」

「ぎゃあああ！」縄をかけられた女は腰砕けになり、そのままイモ虫のように這《は》って逃げようとした。「ロ、ロバがしゃべった！」

「これはロバだけど、ロバじゃねェんだ」ナルトが女を抱き上げ、焚火のそばへすわらせた。「お前にちょっと訊きたいことがあるだけなんだ」

女の目が、ニカクとナルトのあいだを行ったり来たりした。

「オレらは里から消えた仲間を探している」ナルトは言った。「お前も知ってるだろうけど、何日か前に沌《とん》の里がだれかにつぶされた」

女はナルトを見すえた。

「そのすこし前に、オレらの仲間がこのへんで目撃されてるんだ」

女はニカク、ナルト、ツユの順で目をうつし、最後はナルトにむかって言った。「その仲間というのも、儵《しゅく》の忍か？」

「ああ」

「つまり、抜《ぬ》け忍《にん》なんだな？」

「…………」

目をそらしたナルトを見て、女は質問をかぶせた。「お前たちは抜け忍狩りをしている

んだな？」

「抜け忍なんかじゃねェ」ナルトは嚙《か》みしめた歯のあいだから言葉を押し出す。「オレらは事情が知りたいだけなんだ」

「その抜け忍は髪の長い、着流《きなが》しの男か？」

「！」

「知ってるの⁉」ツユが女に詰《つ》め寄《よ》る。「やっぱりここにいたのね⁉」

「ああ、知ってるよ」女が鼻で笑った。「こっちはそいつのクビを狩《と》るつもりなんだから」

ナルトとツユは顔を見合わせた。

「お前たちを襲《おそ》ったのも、そいつの仲間だと思ったからさ。これ以上、ウチらの里を倏《しゅく》の勝手にはさせない」

「どういうことでしょうか？」と、ニカク。「倏《しゅく》と混《こん》は同盟国のはずでは……」

「ハッ！　同盟国が聞いてあきれる」

「………」

「知らないなら、教えてやる」女が言った。「お前らのそのお仲間ってのが、沌《とん》の里の件に一枚かんでるんだよ」

「嘘《うそ》よ！」ツユが声を張り上げた。

「嘘じゃない。しばらく前に、髪の長い、背に百足《むかで》の染《そ》め抜《ぬ》きのある着流しの男がウチらの里にやってきた。首に儵《しゅく》の額あてを巻いていた。その男は里長《さとおさ》と会って、すぐに里からいなくなった。つぎに目撃されたのは沌《とん》の里でだ。そのすぐあとに、沌《とん》は百亀山《ひゃっきざん》に押しつぶされた」

「嘘よ、そんなこと！」

「ツユ……」

「それだけじゃ、なんの証拠にもならないわ！」

「証拠なら、ほかにもある」

すっかり取り乱したツユを、ナルトは腕のなかに抱き寄せた。

「あたし、信じない！」ツユはナルトの胸にしがみついて泣いた。「あの人がそんなこと、するはずがない！」

「しかし、沌《とん》の里が消えた直接の原因は禁術の発動です」ニカクが話をひきとる。「その禁術は第一次忍界《にんかい》大戦のときに、わたくしたち儵《しゅく》と、混沌《こんとん》の里が共同で開発を進めていたものです。沌《とん》の里が消滅したいま、もしその禁術を完成させることができる里があるとす

れば……」

「消去法でいけば、ウチらの里だということになるな」女が言った。「でも、ウチらにもほんとのことは知らされてないんだ」

「しかし、どうも腑《ふ》に落ちないことが多すぎますな」

「混《こん》は平和な里だって言いたいんだろ？」

「はい。わたくしの記憶では、武術よりも学術を重んじるお土地柄《とちがら》ですよね」

「たしかに、むかしはそうだった。くやしいけど、ウチら混《こん》の忍は弱い。だけど、それもあの男が里にあらわれてからすっかり変わってしまった」

「髪の長い、着流しの？」

「そいつじゃない」女は首をふる。「その男が里にやってきたのは、ウチが生まれる前のことだ」

ニカクがうなずく。

「ウチらの里は、むかしから外部の人間を受け入れてきた」女はつづけた。「とくに学問のできる人間は大事にされた。教育こそが世界を平和に導《みちび》くと信じているからだ。その男は里に居ついて、子供たちに学問を教えはじめた。ウチもその男の塾にかよった。授業は

とてもおもしろかった。先生は話がとても上手《じょうず》で、ウチらは塾にいくのが楽しみだった」

ナルトはツユを抱いたまま、話に聞き入った。

「あるとき、先生が混沌《こんとん》の話をしてくれた」

女は目を閉じ、朗々《ろうろう》とその一節を諳《そら》んじてみせた。


南の帝《みかど》を儵《しゅく》となし、北の帝を忽《こつ》となし、中央の帝を混沌《こんとん》となす。

儵《しゅく》と忽《こつ》と、刻《とき》とともに混沌《こんとん》の地に会えり。混沌《こんとん》、これをもてなすこと甚《はなは》だ善《よ》し。儵《しゅく》と忽《こつ》と、混沌《こんとん》の徳に報《むく》いんことを謀《はか》る。

曰《いわ》く、「人みな七竅《しちきょう》あり、もって視聴食息《しちょうしょくそく》す。これひとりあることなし。試みにこれを穿《うが》たん」

日に一竅を穿つ。

七日にして――混沌《こんとん》死す。


風が吹き抜け、焚火の火の粉が暗闇《くらやみ》に漂い流れてゆく。

「ウチが生まれる前、混《こん》の里と沌《とん》の里はひとつだった。それをふたつに引《ひ》き裂《さ》いたのは儵《しゅく》

で、それが混沌《こんとん》の隠された裏の歴史だと先生は教えてくれた。百亀山の西側に強制移住させられたのは、ほとんどが科学者やその家族たちで、それがいまの沌《とん》だ。ウチら混《こん》は百亀山の東側に追いやられた。お前たちはなんの権利があってそんなことをするんだ？　大国だからか？　強ければ、なにをしてもいいのか？　だれかが愚公移山《ぐこういざん》を復活させようとするのも無理はない。だって、力がすべての世の中なんだからな。先生は言った。『学問は大切だ。しかし、差《さ》し迫《せま》った危険から愛する者たちを守ってくれるのは学問ではない』……ウチらはそれを信じて育ったし、いまもそれは変わらない。お前ら大国は勝手に戦《いくさ》をはじめ、勝手にウチらを巻きこみ、国境と、お前らに都合《つごう》のいい秩序を押しつけてきた」

ひと息つく。「そのせいで、混沌《こんとん》は死んじまったんだ」

だれも、なにも言いかえせなかった。

ナルトは拳《こぶし》を握りしめ、ツユはそんなナルトの胸のなかで静かに涙を流していた。

「しかし」ニカクが言った。「それとあなたがたが沌《とん》をつぶすことと、なにか関係があるのでしょうか？」

「ない」

「………」

「すくなくとも、ウチはそう思ってる」

「でしたら……」

「だけど、『混沌《こんとん》は道』という先生の教えがまちがっているとも思えない。秩序《ちつじょ》が生まれたときに力も生まれた。なぜなら、秩序を保《たも》つのは力だからだ。そして、力が戦を生む」

「だから……」ナルトのふるえる声に、他の者が目をむける。「その秩序をぶっ壊して世界を混沌《こんとん》にもどすために、沌《とん》をつぶしたってことかよ？　ざけんなよ、この野郎……そんなことが許されるわけねェだろ！」

「ウチは里を抜けた」

「……」

「先生の教えは正しい。いまでも心のどこかではそう信じている」女は唇《くちびる》を嚙み、なにかを必死でこらえているようだった。「だけど、どうしても割り切れないんだ」

「じゃあ、なんでオレらを襲ったんだよ？」

「なにかを変えたかったから……かもしれない」

「その先生という方は」と、ニカク。「いまも混《こん》の里におられるのですか？」

「それがいまのウチらの里長、カオス様さ」

「………！」

「なにが正しくて、なにがまちがっているのか……ウチにはわからない。でも、お前ら儵《しゆく》がウチらにしたことは許せない」

それっきり、沈黙が悪霊《あくりよう》のように居すわってしまった。

善の行き着くところは悪、悪の行き着くところは善……なあ、レンゲ、これがお前の言いたかったことなのか？　ナルトは焚火のなかに、またあの晩のレンゲの後姿《うしろすがた》を見る。それって、オレらにはどうしようもねェことなのかよ？

「許せねェのはこっちのほうだ」ナルトの怒《いか》りに満ちた声が静寂《しじま》を破った。「お前らは、ぜんぜん関係のねェやつらを皆殺しにしたんだぞ。山に押しつぶされたやつらが、どんなに……どんなに痛かったか……夢や希望や家族を一瞬で奪《うば》われて、どんなにツラかったか……お前にわかるか？」

ナルトはツユを押しのけ、腰からクナイを抜いた。

「ナルト！」

ツユが叫び、ニカクがそれに呼応《こおう》する。「ナルトさん、いけません！」

「いろんなやつが、いろんなことを好き勝手に言いやがる」ナルトは女に近づき、その大

きな目をのぞきこむ。「だれもが正しいことをしようとして、いっつもまちがったほうへいっちまうんだ」

「殺すなら殺せ」女はナルトを見上げた。「お前なんかにわかってもらおうとは思わない」

ナルトはクナイをふり上げ、そして、女を縛《しば》っている縄を切った。

「ああ、オレにゃわかんねェや」

女は呆然《ぼうぜん》とナルトを見つめる。

「わかんねェっていやぁ、わかんねェことだらけさ。お前はどうして風が吹くのか、わかるか?」

「………」

「オレにゃわかんねェ」ナルトは歯を食いしばって、あふれそうになる涙をこらえた。

「いわし雲が出てりゃ、明日は雨だ。その雨がうんと降りゃ、草木が育つ、作物が実《みの》る。陽《ひ》が落ちりゃ、月がのぼる。燕《つばめ》が飛んでくりゃ、もう春だ。そんなの、みんな知ってることだ。だけど、なんでそうなるのか、だれにもわかんねェ」

ツユは胸の前で手を握りしめ、ナルトを見守った。

「お前の先生の教えなんて、オレにゃわかんねェさ。頭、悪《わり》ィからよ。だけど、よその里

をそうやって消し去るのが悪ぃことだってのはなぁ」ナルトは親指で自分の胸をドンッと指《さ》す。「この胸がちゃんと知ってんだ」

女が目を見張った。

「お前だってそうだろ？　だから里を抜けたんだろ？」

「知ったふうなことを言うな！」女は立ち上がり、クナイを抜いて身構《みがま》える。「誇《ほこ》りをなくしたこともないくせに！」

「もうお前に用はねェ」火のそばにゴロリと横になると、ナルトは目を閉じる前にそう言った。「勝手にどこへでもいっちまえ」

暗い森のなか、焚火のまわりに点々と落ちた四つの影は、いつまでも、いつまでも、じっと動かなかった。

5

つぎの朝、ナルトはひとりっきりで目を覚ました。

意識を集中させると、ツユとニカクのチャクラがさほど遠くないところに感じられた。

たぶん、食えそうなものでも探しにいったのだろう。里を出て四日目。そろそろ乾パンも底をつく。

あの女はもういなかった。

あいつの言ったことにも一理ある――焚火《たきび》の黒い燃えさしをぼんやり見つめながら、ナルトは頭のなかを整理した。

いまのいままで、倏《しゅく》のやってきたことを疑ってみたこともなかった。すべての里が倏《しゅく》のようになれば、みんなが幸せになれるはずだと思っていた。

だけど。

ニカクから聞かされたはしご事件、あの混《こん》の女が言っていたこと――秩序を保つのは力。そして、力が戦を生む――、レンゲの言葉……それらがいっしょくたになって、ナルトの頭のなかでぐるぐるまわった。

万物は円を描いている。それがレンゲの口癖《くちぐせ》だった。いつも地面にそれを書いて、証明してくれたものだ。

ナルトは小枝の燃えさしを手にとって、地面に字をひとつずつ書いていく。
一、十、百、千、万、億、兆、京《けい》……

ちょうどレンゲがそうしたように、数字の位《くらい》をひとつずつ上げてゆく。

……阿僧祇《あそうぎ》、那由多《なゆた》、不可思議《ふかしぎ》、無量大数《むりょうたいすう》——

いいか、ナルト。レンゲの野郎はそう言ったっけ。「この無量大数が最大だ。最大なのに無という字が使われてるだろ？　大きすぎるものは、けっきょくなにもないのとおなじなんだ」

一、割《わり》、分《ぶ》、厘《りん》、毛《もう》、糸《し》……

今度は、数字の位を一の位からひとつずつ小さくしてゆく。

……清浄《しょうじょう》、阿頼耶《あらや》、阿摩羅《あまら》、涅槃寂静《ねはんじゃくじょう》——

見ろ、ナルト。レンゲの声を耳が覚えている。「この涅槃寂静が一番小さい。涅槃とは不生不滅《ふしょうふめつ》の悟《さと》りの境地だ。そこには迷いや悩みは存在しない。わかるか？　一番小さいのに、一番大きいんだ」

「大きくても無、小さくても大……それがお前の答えなのかよ？」

背後に人の気配を感じてふりかえると、そこにあの女が立っていた。

ナルトは目をパチクリさせた。

「あんた、寝すぎ」女がぶっきらぼうに言った。「はい、これ」

「え？」ナルトは目の前に差し出された果物《くだもの》と、女の顔をかわりばんこに見た。「お前……なにやってんの？」

「お前たちについていくことにした」

「はあ？」

「どうせ混《こん》の里へいくんだろ？　ウチが案内してやる」

「え？　でも……なんでだよ？　オレら、倏《しゅく》の忍《しのび》なんだぞ。お前は昨日《きのう》……」

「倏《しゅく》は大嫌いだ」

「……」

「でも……」女の目が泳ぐ。「でも……お前なら……ウチだってなぁ、べつにお前が昨日言ったことがわからないわけじゃ……」

「……？」

「ああ、もう！」女はなかば投げつけるようにして、果物をナルトに押しつけた。「なにが正しくて、なにが悪いか、ウチの胸だってちゃんと知ってんだよ！」

ナルトはしばらく赤面した女に見とれ、それから小さな果実をひとかじりした。甘い果汁が口のなかに広がる。

ナルトはパッと立ち上がり、足を広げ、グッと腰を落として踏ん張った。

「お前、名前は?」

「美味《うめ》ェな」

女がびっくりして目を丸くした。

「やあ、やあ、知らざぁ聞いてゆけ!」

女の口がぽかんと開く。

「生まれは百亀山《ひゃつきざん》望む花の里、六の歳《とし》より忍道《しのびみち》、道理も説法《せっぽう》も御免《ごめん》の悪童《あくどう》がぁ、封天鼠仙《ふうてんそせん》人《にん》よりさずかりし、仙術もってわたる世のォ、男一匹鼠《ねずみ》妖怪、無天無法のナルト様たぁーああ、オレのこったぁ!」

「ははは」

「へへへ」

「ウチはシマ」

「シマか、いい名だな」ナルトは言った。「ありがとうな。でも、オレらは混《こん》の里へはいかねェんだ」

「どこだっていいさ」と、シマは言った。「とにかく、ウチはお前たちについていくこと

に決めたんだ」

6

それは、ツユが獲《と》ってきた魚を焼き、シマの採《と》ってきた果物《くだもの》をならべて、朝餉《あさげ》を食べているときだった。

「それ、ナルトが書いたのか?」シマは何気《なにげ》なく、地面に書かれた字を指さした。「涅槃《ねはん》は無量、大数《たいすう》は寂静《じゃくじょう》なり」

ナルトは枝で刺した鮎《あゆ》をかじりかけたまま、動きを止めた。

「有の行き着くところは無、無の行き着くところは有なり」シマが言った。「儵《しゅく》の里でも習うんだな。知らなかった」

「ちょっと待て」ナルトはシマにむきなおる。「なんでお前がこれを知ってんだ?」

「え?」シマがきょとんとなった。「ウチらの先生がむかしから教えていることだからさ」

「先生って……いまの里長《さとおさ》のことか?」

「ああ、カオス様だ」

「どうしたの、ナルト?」ツユが心配顔で訊《き》いてくる。「なに怖《こわ》い顔してんのよ?」

ナルトは食べかけの鮎をじっと見つめ、それからボソリと言った。

「ツユ、ひょっとしたら、レンゲは……ほんとにオレの手がとどかねェところにいっちまったのかもしんねェ」

ツユが眉《まゆ》をひそめる。

「いまシマが言ったことは、レンゲが最後にオレに言った言葉なんだ」

「……!」

「すこし整理してみましょう」ニカクが草を食《は》みながら言った。「シマさん、失礼ですが、あなたはおいくつですか?」

「ウチ、十六」

「で、現在の混《こん》の里長は、あなたがお生まれになる前に、ふらりと里にあらわれたとおっしゃってましたね?」

「ああ、そうだ」

「ということは、そのカオスと名乗る男は十六年以上前に混《こん》にやってきたということですね」ニカクはひとり言のようにつぶやく。「そして、まず子供相手の塾を開き、そして、

現在は里長に……倏《しゅく》の里では、里長は指名制……前の里長が、これはと思う人物を指名する、ある種の賢人《けんじん》支配……シマさん、混《こん》の里ではどうやって長が決められるのですか？」

「里長は里人《さとびと》全員で決めるんだ」シマは口になにかの丸薬《がんやく》を放りこみながら答えた。「四年に一回、みんなで話し合って、みんながいいと思う人が里長になるんだ」

「ふむ、選挙ですね」と、ニカク。「つまり、カオスはこの四年のうちに里長になったということですか？」

「二年ほど前だ」

「そして、混《こん》の人々の信頼を得ていると考えていいわけですね？」

「そうじゃなければ里長にはなれない」

「どうしてです？　たかだか塾の先生が、なぜ里長にまでなれたのです？」

シマは口のなかのものを噛《か》みながら、すこし考えた。「たぶん、カオス様の教え子たちが、いまは里の実力者になってるからだと思う」

ナルトが違和感に気づいたのは、そのときだった。丸薬を服《の》んですぐ、シマのチャクラがグンッとふくらんだのだ。

これって、チャクラなのか……？

そういえば、昨日《きのう》、シマとやり合う前にもおなじ感覚に襲《おそ》われた。

胸がムカムカするようなどす黒いエネルギー。なのに、そこにふっと透明なチャクラが吹きこんでくるような……

「なるほど」と、ニカク。「それはありえそうな話ですね」

「それに、カオス様は里人の心をよく知ってるんだ」

ナルトはシマをじっと見つめたが、邪気《じゃき》は感じられない。

「『混沌《こんとん》は道』という教えもそのひとつだ。カオス様は、『人間はむかしに帰るべきだ』とよく言っていた。人々がもっと小さな単位でまとまり、おたがいの顔がちゃんと見える社会が理想だったんだ」

「それが、さきほどの『有の行き着くところは無、無の行き着くところは有なり』ですね？」

「ああ」

「で、そのためには、世の中が一気に変わる必要があると？」

「そうじゃなかったら、大きい里がぜったいに小さい里に攻めこんでくるからな」

「それを無政府主義と言います」ニカクが言った。「すこし見えてきました。禁術の発動

はカオスの理想の社会を実現するためです」

「お前たちは自分の里の意味を知ってるか？」と、今度は逆にシマが質問をする。

「儵《しゅく》には『すばやい』という意味があります。忽《こつ》もそうです」ニカクが応じた。「しかし、同時に『束《つか》の間《ま》』をも意味します」

「どういうこと？」と、ツユが話に入る。「そんなこと、アカデミーでは習わなかった」

「儵《しゅく》も忽《こつ》も大国です」ニカクがそれに答える。「わたくしたちが大国となりえたのは、『すばやさ』を追求した結果なのです。とくに、忍《しのび》の世界では、すばやく動くことが必要不可欠です。しかし、そのせいで、多くのものを見失ってしまいました。『儵《しゅく》』や『忽《こつ》』という字には、『浅はかな』とか『ちっぽけな』という意味もあるのです」

「そんなの……ぜんぜん、知らなかった……」

「お前たちが知らないことは多い」シマが言《い》い添《そ》える。「混沌《こんとん》とは『無秩序』を意味する。だから、ウチらの里はいつまでもちっぽけなんだ。だけど、そもそも命とは混沌《こんとん》としたものだろ？　命の謎を解《と》き明《あ》かした者はいない。それでも、ウチらは生きていく。だから、『混沌《こんとん》は道』なんだ」

「カオスの考えが漠然《ばくぜん》と見えてきました」ニカクが言った。「今回の沌《とん》の里の一件は、す

でに各国に知れわたっています。もし、カオスの狙《ねら》いが一気に世界の時間を逆回転させることなら、すぐにもまた禁術が発動されると思います」

「じゃあ、こんなところでのんきに……」ツユが立ち上がる。

「落ち着いてください、ツユさん」ニカクがなだめる。「禁術については、ほかの忍たちが目を光らせているはずです。いまは彼らを信じましょう」

「でも！」

「わたくしたちの任務は、レンゲさんを里に連れもどすことなのですよ」

ツユが口をつぐんだ。

「つぎに、シマさん」と、ニカクが仕切りなおす。「あなたが里で見かけた、儵《しゅく》の忍についてですが……」

「そいつが、お前たちが探しているレンゲとかいう男か？」

「おそらく」

「ウチにもわからない。昨日も話したけど、そいつはふらっと里にきて、カオス様となにか話し合いをして、またふらっといなくなってしまった」

「禁術はどうやって発動するのですか？」

「わからない」

「代償《だいしょう》は？」

シマは口に丸薬を放りこみ、それを噛みながら考えこんでしまった。

まただ。

胃がしめつけられるほどの黒いうねり。それがシマの体に満ちていくのを、ナルトはたしかに感じとった。

「わからない。ただ……」シマが言った。「愚公移山《ぐこういざん》は何度でも発動できると、里のみんなが言っていた」

「それは、代償がないということですか？」

シマは首をふった。

「そんな禁術、聞いたことありませんが……」

ニカクはため息をつき、なにかを考えるような顔つきで、また草を食べだした。

会話が途切れたのを潮《しお》に、ナルトが口を開いた。

「なあ、シマ、お前、さっきからなに食ってんだよ？　兵糧丸《ひょうろうがん》じゃなさそうだし」

「これか？」シマは無邪気《むじゃき》に丸薬の袋をナルトに差し出した。「ウチらの秘薬さ」

ナルトはその袋を開き、なかに入っている丸薬のにおいを嗅《か》いでみた。

「これ食ったら、どうなるんだ？」においは、ない。

「ウチら混《こん》の人間は争いごとを好まない」

ナルトはうなずく。

「それでも、否応《いやおう》なく戦闘に巻きこまれることがある。この薬はウチらのチャクラを増幅させ、恐怖心をとりのぞいてくれるんだ」

シマがそう言うと、ニカクがハッと首をもたげた。首にぶら下げた瓢簞《ひょうたん》をゆすり、ぽっくり、ぽっくり、とこちらへ歩いてくる。

「シマさん、その薬はなんという名前ですか？」

「かいだんだ」

「………」

「なんだよ、ニカクのおっちゃん？」ナルトはそっちを見やった。「なんかわかったのか？」

「その秘薬をわたくしにも見せてもらえませんか？」

ナルトは小首をかしげ、薬の革袋《かわぶくろ》を差し出す。

「すみませんが、ナルトさん、一粒《ひとつぶ》わたくしの口に入れてください」

ナルトは言われたとおりにした。

ニカクは薬を口のなかでころがし、かじり、むずかしい顔で考えこんでから、ペッと吐《は》き出《だ》した。

7

「ああ、腹減ったなぁ」暗い森のなかを歩きながら、ナルトがぼやく。「あぁあ、一葉《いちよう》のラーメン、食いてェなぁ」

「なんだ、それは?」となりを歩くシマが訊《き》く。

「へ? お前、ラーメン食ったことないのか?」

「ウチの里にはないからな。美味《うま》いのか?」

「美味いなんてもんじゃねェぞ」ナルトはよだれをぬぐう。「あっつあつのスープに、しこしこの麵《めん》。チャーシューがでんとのっててよ。ネギなんかパラパラっと散っててな。それをドンブリを持ち上げて、こう、ズルズルズルズルッとすすりゃ、いやなことなんか、

いっぺんに忘れちゃうぞ」

「ふぅん」と、シマ。「なあ、ナルト」

「あん？」

「エロたわけってなんだ？」

「……………」

「お前とやり合ったとき、ツユがそう怒鳴《どな》って、お前のことを蹴飛《けと》ばしたろ？」

「こいつにはね、気をつけたほうがいいわよ」口をパクパクさせているナルトのかわりにそう答えたのは、ツユ。「仙術《せんじゅつ》まで動員して女風呂をのぞこうとするやつなんだから」

「ほんとか？」と、シマがナルトを見つめる。

「え？　いやっ……ハハ、いや、それは……」ナルトはツユにむかって口をとがらせた。

「お前なぁ、そんなふうに言わなくてもいいだろ？」

「あら、ほんとのことでしょ」

「ほんとのことって……」ナルトはシマに顔をむける。「このツユだってな、ものすげェ乱暴なんだぞ。オレなんか、一度殴《なぐ》られすぎて死にかけたからな」

「それは、お風呂をのぞいたくせに、あんたがひらきなおって『べつに減《へ》るもんじゃねェ

し』とか言ったからでしょ！」

「だって、べつに減るもんじゃねェじゃん……」

「あんたねぇ」と、ツユが腕まくりをする。「また殴られたいの？」

三人のうしろを、ニカクが、ぽっくり、ぽっくり、ついてくる。

「へんっ！　お前はあれだな、ほんとはオレにのぞいてほしいんじゃねェの？」

「はあ？」

「まあ、悪いけど、オレもお前のぺったんこな胸をのぞきにいくほど暇《ひま》じゃないけどな」

そう言ったとたん、ツユのパンチがナルトの顔面を捉《とら》えた。

「痛《いて》っ！　なにすんだ、このブス！」鼻血を流しながら、ナルトが吼《ほ》えた。「そんなだから、男が寄りつかねェんだぞ！」

「このエロたわけっ！」

「この雌《めす》ゴリラ！」

「なにを！」

そこへシマが声をかける。「ナルトは女の裸《はだか》が見たいのか？」

「こいつの頭のなか、そればっかりなのよ！」と、ツユ。「こいつのチャクラの半分はエ

ロチャクラなんだから！」

「ああ、見たいね！　ああ、見たいとも！」

売り言葉に買い言葉でナルトがそうやりかえすと、シマがパッと着物の前をはだけてみせた。「ほら」

「！」

ナルトとツユの目が、シマの胸に釘《くぎ》づけになる。

「ナルトになら、いくらでも見せてやるぞ」

「どわあああああ！」

ナルトは噴水みたいに鼻血を噴《ふ》いてぶっ倒れ、ツユはあわててシマの着物をかき合わせる。「シ、シ、シマちゃん!?」

「あんた、ナルトのことが好きなのか？」絶句したツユを見て、シマはさらにダメ押しをした。「どうなんだ？」

ツユは、鼻血と涙をいっしょに流しながら「もう死んでもいい」と連呼しているナルトを見やり、それから首をぶんぶんふった。

「じゃあ、ウチがもらうからな」

「……はい？」

「ウチがナルトをもらうと言ったんだ」

「ちょっ、いやいやいや！」ツユは扇《あお》ぐようにして、手をふりまくった。「シマちゃん、いま、あたしたちの話を聞いてた？　こいつ、シマちゃんが思ってるようなやつじゃないんだから！　ほんっとにエロエロの、エロエロなんだから！」

「あんた、ほんとはナルトのことが好きなんじゃないのか？」

「それは、ないっ！」

「それにしちゃあ、ずいぶん思わせぶりじゃん？」

「ど、どこが？」

「どこもかしこもだよ」

「ないっ！」キッパリ否定する、ツユ。「それは、ほんっとにないっ！」

「じゃあ、つべこべ言うな」

「いや、だからね……」

「ナルト」シマが言う。「ウチとつき合え」

「ナルト！　へんなこと考えちゃダメよ！　この娘《こ》、まだ十六なんだからね！」

「十六でも、あんたよりいいもの持ってるよ」

シマがそう言うと、ナルトはふたりの女の胸を見くらべて、鼻の下をのばしてニヤニヤした。

そのせいで、今度はツユに森のはずれまでぶっ飛ばされてしまった。

こんな調子で一行はすこしずつ沌《とん》の里——いまは百亀山《ひゃっきざん》の下敷きになっている沌《とん》の里へと近づいていった。


——そうだ、こっちへこい……


「！」

急に足を止めたナルトを見て、シマが小首をかしげた。「どうしたんだ、ナルト？」

「え？　あ……いや、なんでもねェ」

ナルトはそう生返事《なまへんじ》をして、ふたたび歩きだす。

が、今度こそは気のせいなんかじゃない。

その声は、まるで風のように、ナルトの頭のなかに吹きこんできた。

――世界の終わりをつかさどる者よ……


なんだよ、これ？

むずかしい顔をして歩きつづけるナルトを、シマは静かに見守った。

世界の終わりってなんなんだよ？

道中、ずっと黙々と歩いていたニカクが声を発したのは、混《こん》の里、そして沌《とん》の里へとつづく分かれ道にさしかかったときだった。

「みなさん」

うしろから呼ばれて、前の三人はふりかえった。

黄昏空《たそがれぞら》を鴉《からす》が飛んでいく。

ニカクは、ぽっくり、ぽっくり、と三人に追いつき、分かれ道に立っている標識を見上げた。

西を指《さ》す矢印には〈沌《とん》〉と書かれており、東むきの矢印には〈混《こん》〉。

「どうしたんだよ、ニカクのおっちゃん？」

「ナルトさん、ここからなら、あなたはレンゲさんのチャクラを感知できますね？」

ナルトは西陽《にしび》に目を細め、夕焼けに燃える百亀山を見わたした。

「ああ、ビンビン感知してるぜ」

が、ナルトがそう言ったのは、レンゲのチャクラを感知したせいばかりじゃない。里を出てからずっと、自分でも説明できないなにかが——チャクラなんかよりずっと巨大ななにかが、ずっとこの方角を指していたのだ。

レンゲは百亀山にいる！

根拠《こんきょ》はない。

が、自信はあった。

「それでは」と、ニカクが切りだした。「わたくしは、ここから別行動をとらせていただきます」

「……………？」

「ちょっと気になることができたので、わたくしは混《こん》の里へいってみようと思います」

「どうしたんですか、ニカクさん？」と、ツユ。「気になることって？」

「さっき、シマさんの秘薬を味見しました。まだ確信はありませんが……」ニカクは大き

く息を吸い、そして、言った。「はしごかもしれません」

「かいだんが……はしご？」

「それって……」ナルトがゴクリと固唾《かたず》を呑《の》む。「それって、どういうことだよ？」

「わたくしにもわかりません」

「ニカクさんは……あの人がまだ生きていると思ってるんですか？」ツユが問う。

「それをたしかめにいきます」

「けど、それは二代目様がカタをつけたはずだろ？」

「忍《しのび》の歴史なんて、そんなものですよ」ニカクは首をふった。「しかし、あれがもしはしごなら、レンゲさんが里を抜けた理由もそこからわかるかもしれません」

レンゲ……

大きな夕陽《ゆうひ》は、もう百亀山のむこうに沈みかけている。

四つの影が、道端《みちばた》に長くのびていた。

「わかったよ、ニカクのおっちゃん」ナルトが言った。「おい、シマ」

「なんだ、ナルト？」

「ニカクのおっちゃんをお前の里まで連れてってくれないか」

シマはナルトを見つめ、そして、うなずいた。「ナルトがそう言うなら」

「たのむ」

「わかった」

「オレとツユはこっちをいく」ナルトはニカクに顔をむけ、西の空を指さした。「ムチャすんなよ、ニカクのおっちゃん」

「ナルトさんもお達者で」

「そっちもな」ナルトはシマにむきなおった。「シマ」

「なんだ?」

「上手《うま》く言えねェんだけど……オレらの里はお前らにひどいことをしたみたいだ」

「……」

「平和ってやつがなんなのか、オレにもまだわかんねェ。でも、お前と出会って、オレはやっぱり自分がまちがってなかったことがわかった」ナルトは言った。「人がほんとの意味で理解し合える時代は、かならずくる。だって、オレとお前だって理解し合えたんだからな」

「うん」

「このゴタゴタがすっかりカタづいたら、いっぺん雟《しゅく》の里を案内してやるよ」

「ほんとか？」

「ああ、嘘《うそ》はつかねェ」

「きっとだぞ」

「へへへ、このナルト様にまかせとけ」ナルトはニカッと笑い、親指で自分の胸をドンッと指した。「そんときは、オレが世界一美味いラーメンをおごってやっからよ」

第三章 それぞれの戦い

1

夜どおし歩いて、混《こん》の里に着いたのは、一番鶏《いちばんどり》が時をつくるころだった。

コケッコッコー！　コケコッコー！　という声が、はるか下から耳にとどく。

ニカクとシマは、小高い丘の上から、朝靄《あさもや》に煙る里を見下ろした。

藁葺《わらぶ》き屋根の家々、犬の鳴き声、そして、小川がキラキラ流れている。水を張った田んぼには、明けゆく東雲《しののめ》が映《うつ》っていた。

「あそこ」シマが指さす。「あの塔《とう》にカオス様の執務室《しつむしつ》がある」

ニカクは目を細めた。

里のちょうど真ん中あたりに、白と黒にぬり分けられた、タマネギのような塔が建っている。

「この場所からだと、ちょうど陰《いん》と陽《よう》の太極図《たいきょくず》のように見える」シマが言った。「沌《とん》が滅《ほろ》んだあと、カオス様は体調を崩《くず》された。かいだんを錬成《れんせい》するときに、内臓をやられたという話だ。いまはもう、あの塔から出ることはほとんどない。護衛も厳重だ」

「どうすればなかに入れるのですか？」ニカクが尋《たず》ねる。

「あのなかには、カオス様と里の幹部しか入れない」

「それでは、どうしましょうか？」

「お前がウチに捕《つか》まれ」

ニカクはシマを見た。

「罪人《ざいにん》はあの塔の外の白洲《しらす》で裁《さば》かれる。スパイは重罪だ。重罪はカオス様がじきじきに裁きを下すことになっている」そして、つけ加えた。「だけど、ロバのままじゃダメだ」

ニカクはしばし考え、やがて諦《あきら》めたようにため息をついた。

「シマさん、わたくしの首の瓢箪《ひょうたん》の栓《せん》を抜いてもらえませんか？」

「これか？」

シマは瓢箪を手にとり、ポンッ、と栓を抜く。

「やれやれ、人の姿にもどるのは二十年ぶりですよ」

言い終わるが早いか、風が立ち、瓢箪がふくらみ、あっという間にニカクの体を吸いこんでしまった。

「！」

シマは呆然《ぼうぜん》と草の上に落ちた瓢箪を見下ろした。

瓢箪の口からなにやら小さな声が聞こえてくるが、なにを言っているかまでは聞きとれない。

シマは瓢箪を爪先《つまさき》でつついてみた。

反応はない。

だから、耳を近づけてみた。

瓢箪から白煙がシューッと噴《ふ》き出《で》た。

辺《あた》り一面が、たちまち真っ白な闇《やみ》につつまれた。

シマが飛びすさるのと、ボンッ、という音が轟《とどろ》くのと、ほとんど同時だった。

巨大な人影が、白煙のなかに浮かび上がる。

シマは目を凝《こ》らした。

風が煙を吹き散らすと、鎧兜《よろいかぶと》に身を固めた武者《むしゃ》があらわれた。身《み》の丈《たけ》、二メートルはくだらない。腰には大太刀《おおだち》を差し、目は火を噴くほどに見開かれている。燃えるような怒髪《どはつ》は天を衝《つ》き、せり出した額《ひたい》からは水牛のような角《つの》が二本生《は》えていた。

闘神《とうしん》……それが、シマの心を真っ先によぎった言葉だった。

「シマさん、ありがとうございました」その闘神が、地鳴りのような声で言った。「わたくしが鬼駒《おにこま》ニカク、これがほんとの『瓢箪から駒』でございます」

シマは口がきけない。

「シマさん?」

「あっ……」そこでようやく我《われ》にかえって、目をパチクリさせた。「お前、ほんとに……あの、ロバか?」

「はい。正真正銘《しょうしんしょうめい》、二十年間ロバだった男でございます」

「で、でも……なんでだ？　なんでロバなんかに……」

「シマさんは、わたくしのほんとの姿を見て、どう思われますか?」

「え?　それは……」シマの目が泳ぐ。「まるで……鬼みたいだ」

シマがやっとの思いでそう言うと、ニカクは雷《かみなり》のような声で笑った。

「ガッハッハッハ！　そのとおりです。この鬼のような姿で、わたくしは幾度も不必要な戦いに巻きこまれました。もう人を殺《あや》めるのは、うんざりです。だから、一生ロバでいようと決めたのですが……」

「じゃあ、やっぱりカオス様は……ほんとに、その百足《ももあし》クヌギとかいう儵《しゅく》の忍《しのび》なのか?」

「それをたしかめねばなりません」

「どうしてだ？　いまさらたしかめて、どうする？」

「わたくしには心より忠誠《ちゅうせい》を誓《ちか》ったお方がおります。わたくしたち儵《しゅく》の里の二代目里長《さとおさ》、真昼《まひる》カエン様です」

シマは黙って話を聞いた。

「ここまでくる道すがら、あなたにははしご事件のことを話して聞かせましたが……」ニカクは言った。「カエン様は、それこそ血を吐《は》くような思いで、はしご事件を歴史の表舞台から消し去りました。それは、この世界にあの薬を広めないためです。しかし、もしあなたたちのカオス様が百足《ももあし》クヌギなら、カエン様の苦渋《くじゅう》の決断が無に帰《き》することになります」

シマがうなずく。

「微力ながら、わたくし鬼駒ニカク、それを見過ごしてはおけません。もし、そんなことをすれば……」ニカクが微笑《ほほえ》むと、まるで鬼が泣いているように見えた。「わたくしはこれから先、ロバにすら劣《おと》る人間になってしまうのです」

「わかった」と、シマが応《こた》える。「でも、そのままじゃダメだ」

「どうしてでしょうか？」

「お前はどう見ても、ウチより強そうだ」シマが言った。「そんなお前をウチが捕まえても、里の者に怪《あや》しまれるだけだ」

2

時間はすこし、さかのぼる。

ぽっくり、ぽっくり、と歩き去るニカクとシマの後姿《うしろすがた》を見送りながら、ツユが言った。

「ナルト……いかせてよかったの？」

「いいんだよ」

「でも……」

「いいんだよ」

「……」

「ニカクのおっちゃんは二代目様の班《はん》にいた」ナルトは自分のゆくべき道に足を踏み出した。「オレの親父《おやじ》、そして、レンゲの親父といっしょにな」

ツユは遠ざかる人とロバの影をふり払い、ナルトを追った。

「オレにはわかるんだ。ニカクのおっちゃんがやろうとしていることは、オレやお前がこれからやろうとしていることと、おなじなんだ」

「……………」

ふたりはしばらく、無言で歩いた。

「ねえ、ナルト」

「あん?」

「レンゲを見つけたら、どうするの?」

返事ができなかった。

上忍《じょうにん》としての任務は、レンゲを里へ連れ帰ることだ。だが、そんなことをすれば、レンゲの体は研究班に切り刻《きざ》まれてしまうかもしれない。

そうかといって、手をこまねいてもいられない。もしレンゲがほんとうに禁術の発動にかかわっていたのだとしたら、いずれ傷《しゅく》の里に災《わざわ》いをなす存在になるだろう。

すぐ横には、ツユのすがるような眼差《まなざ》し。

なにも思いつかないまま、ナルトがありきたりの励《はげ》ましの言葉を口にしかけたとき、草

むらから子供がひとり飛び出してきた。

垢《あか》で汚れた着物、煤《すす》けた顔。ひどくやつれた黒い顔のなかで、ふたつの目だけがギラギラ光っている。

「なんだ、ボウズ？」

その子供はナルトから目をそらさずに言った。「食い物、くれ」

ナルトとツユは顔を見合わせた。

「もう暗くなるぞ」ナルトは子供に言った。「母ちゃんが心配するぞ」

「父ちゃんも、母ちゃんもいねェ！」子供が声を張り上げた。「怪物にみんな殺されちゃったんだ！」

「怪物？」

すると、子供は道の先にある百亀山《ひゃっきざん》を指さした。「あの山を運んできた怪物さ」

「！」

「あんた……」ツユがその子の前にしゃがみこむ。「ひょっとして、沌《とん》の里の子？」

子供がこっくりとうなずく。

「ほらよ」ナルトは腰に下げた雑嚢《ざつのう》から乾パンを出して、子供に差し出した。「もう、あ

んま残ってねェけど」

ツユもそうした。

ナルトの手から乾パンをひったくる前に、子供はふりかえって草むらに叫んだ。

「おーい！　大丈夫だ！　食い物をくれたぞっ！」

すると、草むらがガサガサ動き、また子供がふたり出てきた。

三人の子供は、ナルトとツユの乾パンをわけ合って食べた。

「だから言ったろ？」口に乾パンを押しこみながら、最初の子が仲間に言った。「こいつらは混《こん》の忍《しのび》じゃねェって」

「なあ、ボウズ」と、ナルトは呼びかけた。「さっき怪物がどうのって言ったな？　その怪物が山を運んできたって」

「オレ、見たんだ」と、最初の子が言った。「でっけェ怪物が山を運んできて、里に落としてったんだ」

「あたいも見た」と、あとから出てきた女の子。「怪物は三匹いたよ」

「おいらも見たぞ」と、もうひとりの男の子。「真っ白で、長い牙《きば》が生《は》えてて、牛みたいだった！」

子供たちは怪物のことをいろいろ教えてくれたが、それをまとめると、ようするに「怪物」だった。

鰐《わに》のようでもあり、鷲《わし》のようでもあり、牛のようでもあり、獅子《しし》のようでもあり、麒麟《きりん》のようでもある——三匹とも雪のように真っ白で、そいつが百亀山を背中にのせてやってきて、沌《とん》の里を押しつぶしてしまった。

「お前、額《ひたい》あてを見て、オレらが混《こん》の忍じゃねェってわかったのか?」ナルトは最初の子に尋《たず》ねた。

「混《こん》のやつらのは……」その子は足の先で地面に〝?〟と描いた。「こんな形のしるしがついてるからな」

「で、そいつらになんかされたのか?」

ナルトがそう訊《き》くと、乾パンをむさぼり食う子供たちが動きを止めた。

「………?」

「里が怪物にやられて、みんな死んじまった」と、最初の子がボソリと言った。「生き残った人たちもいたけど、混《こん》の忍がやってきて、みんな殺しちゃったんだ」

「!」

あとのふたりが、しくしく泣きだした。

「泣くな！」最初の子が怒鳴《どな》る。「泣いたって、どうしようもねェ。オレらは生き抜いて、混《こん》のやつらに復讐するんだろ!?」

ツユは手で口を押さえ、涙をこらえた。

子供たちが草むらに消えていくのを見送りながら、ナルトにはどうしたらいいのか、まるでわからなかった。

「鬼ごっこ、缶蹴《かんけ》り、かくれんぼ……」

「ナルト……？」

「あのガキども、いまが一番楽しい年ごろなんだけどな」

「………」

「へへへ、忍の世界は憎しみだらけだ」ナルトは食いしばった歯のあいだから言葉を押し出した。「ちくしょう……いったいどうすりゃいいんだ？」

3

ふたたび瓢箪《ひょうたん》に吸いこまれ、白煙とともにあらわれた鬼駒《おにこま》ニカクは——

「それって……」シマは目を丸くした。「ナルトのつもりか？」

「ナルトさんはこの二十年で、わたくしが一番長くいっしょにいた人間です。如何《いかが》ですか？」

「うーん」シマは首をかしげる。「ビミョーだなぁ」

「どのへんがでしょう？」

「まず、ナルトには角《つの》が生《は》えてない」

ニカクは自分の頭の角に触れてみた。

「それに、ナルトの髪は赤じゃないし、そんなひょろひょろした体でもないぞ」

「こんな弱そうなナルトさんじゃダメですかね？」

「いや」シマがにやりと笑った。「それで完璧《かんぺき》だよ」

ニカクがうなずく。

「もういっぺん確認しとくぞ」

「はい」

「お前はいまから騒ぎを起こす」シマが言った。「それをウチが捕《つか》まえるという作戦だ」

「わかりました」

「お前はあんまりすんなり捕まっちゃダメだ。たいしたことのない忍《しのび》だと思われたら、カオス様にじきじきに裁《さば》いてもらえないかもしれないからな」

「承知しました」

「だけど、あんまり手強《てごわ》くてもダメだぞ」

「わかってます。ほどほどですね？」

「お前が先に里へ入れ。そうだな……」シマは眼下の混《こん》の里を指さした。「あそこに大きな樹があるだろ？」

「あります」

「あそこで作戦開始だ」

「万一のために、作戦開始の合図を決めておいたほうがよくないでしょうか？」

「そうだな……じゃあ、ウチが『お前はだれだ！』って訊《き》くことにする」

「わかりました。で、わたくしが自己紹介をします」

「そうだな。儵《しゅく》の忍とわかったほうが、お前を捕まえるウチのお株も上がるし、もしカオス様が儵《しゅく》の抜《ぬ》け忍《にん》なら、そのこともプラスに働くかもしれない」

「抜け忍といえば、気がかりなことがあります」と、ニカク。

「なんだ?」

「抜け忍のあなたが里に帰れば、おとがめがあるんじゃないでしょうか?」

シマがきょとんとなった。

「シマさんは『里を抜けた』とおっしゃってたでしょ?」

「ああ」と、シマの目に理解の光が射《さ》す。「あれは嘘《うそ》だ」

「嘘?」

「ウチらの里は学問が盛んだと言ったな?」

「はい、言いました」

「ウチがあそこで『里を抜けた』と言ったのは、ただの弁論術だ」

「なるほど。議論で相手を打ち負かすときの作戦ですね」

「ああ言ったほうがナルトには効《き》き目《め》があると思って言ったまでだ」

「それでは、シマさんはどうして百亀山《ひゃっきざん》の跡地《あとち》にいたのですか?」

「沌《とん》へいく途中だったんだ」

「どうして沌《とん》の里へ?」

「沌《とん》がほんとに百亀山に押しつぶされたのか、自分の目でたしかめようと思った」

「ご自分の目で……」

「沌《とん》が滅《ほろ》んで、混《こん》ではお祭り騒ぎだった……でも、どうしてみんながそんなによろこんでいられるのか、ウチにはわからなかった。だって、大勢が死んだ。なのに……だから、その場所に立ってみようと思ったんだ。そうすれば、なにかわかるかもしれないと思ったんだ」

シマの耳にナルトの声が甦《よみがえ》る。

——わかんねェっていやぁ、わかんねェことだらけさ。お前はどうして風が吹くのか、わかるか？

あんなバカなことを言うやつには、会ったことがない。こっちが口先で相手を丸めこもうとしているのに、それを真正面から受け止めるなんて。

もしナルトが弁論術の授業に出たら、まちがいなく落第だな。心のなかで笑いながら、シマは懐《ふところ》から薬袋をとり出した。

「それはもう服《の》まないほうがいいでしょう」

シマは一瞬、なにを言われているのか、わからなかった。

「その薬を服用して得られるチャクラは、自然界のエネルギーじゃないとナルトさんがおっしゃってました。胸がムカムカするとも」

「でも、ウチはべつになんともないぞ」

「あなたはいつからこの薬を服んでいるんですか？」

「つい最近だ」

「かいだんは、おそらくはしごを改良した薬です。長期間服用すれば、副作用が出てくるはずです。心あたりはありませんか？」

シマは薬袋を見下ろし、考え、それから思いきって投げすてた。

「これで、安心です」ニカクは微笑《ほほえ》んで立ち上がり、首にかけた瓢箪をはずしてシマに差し出した。「これを持っててください」

「わかった」

「わたくしはこれからお縄《なわ》を頂戴《ちょうだい》する身です」一陣《いちじん》の突風とともに消えてしまう前に、ニカクは言《い》い足《た》した。「白洲《しらす》にひったてられたら、頃合《ころあい》を見計《みはか》らって瓢箪の栓《せん》を抜いてください」

あとにとり残されたシマは、瓢箪を胸に抱き、青空を見上げた。

——いわし雲が出てりゃ、明日は雨だ。その雨がうんと降りゃ、草木が育つ、作物が実《みの》る。陽《ひ》が落ちりゃ、月がのぼる。燕《つばめ》が飛んでくりゃ、もう春だ。だけど、なんでそうなるのか、だれにもわかんねェ……

あつあつのスープに、しこしこの麵《めん》か……シマは考えるともなしに考えた。ラーメンって、きっと、とても美味《うま》いんだろうな。

まだ食べたことはないけど——ウチのこの胸がちゃんと知ってるよ、ナルト……

4

樹の枝に立ったニカクは、木洩《こも》れ日《び》のなかで物思いに沈んでいるふうだった。

「お前はだれだ!?」シマはすぐさま問う。

「オレの名はナルト!」ニカクがカッと目を見開いた。「儵《しゅく》の忍《しのび》だ! この戦いを終わらせにきた」

そのまま、にらみ合う。

すぐに、里から忍たちがやってくる気配がした。

それが充分に近づくまで待って、シマとニカクはうなずき合った。

「笑わせるな！」シマが叫ぶ。「はじめに仕掛けてきたのは、お前たち儵《しゅく》のほうじゃないか！」

「笑止千万《しょうしせんばん》！」ニカクも叫びかえす。「我々《われわれ》は混《こん》の里によかれと思ってやったことだ！」

「お前たちは手を出すな！」シマは背後の忍たちに怒鳴《どな》った。「こいつはウチがやる！」

「なめるな、小娘が！」

ニカクがすばやく印《いん》を結ぶ。

「風遁《ふうとん》、流星丸《りゅうせいがん》！」

勢いよく術が発動する。その力たるや、辺《あた》りの草木をなびかせ、地をゆらし、風を切った。

てのひらに光の玉をのせたニカクが樹から飛び降り、シマに襲《おそ》いかかる。

シマがそれをかわすと、うしろにいた混《こん》の忍が流星丸をまともに喰《く》らって吹き飛んだ。

シマが印を結ぶと、腰に下げた瓢箪がゆれた。

「混遁《こんとん》、分身の術！」

そう吼《ほ》えるや、シマの体がふたつに、そして、三つに分かれた。

「ややや っ、面妖《めんよう》な！」と、ニカク。「これでは、どれが本物だか見分けがつかん！」

三人のシマが同時にクナイを飛ばす。

ニカクはそれをかわしながら、右端《みぎはし》のシマが目でうなずくのを見のがさない。すかさず印を結び、両手にひとつずつ流星丸を出す。

「ええい、ままよ！」

右端のシマだけを残して、ニカクは残りのシマに流星丸をぶつけた。

ボンッ、とシマの分身たちが煙と消える。

その隙《すき》に、シマの本体はニカクのうしろをとり、その喉仏《のどぼとけ》にクナイをググッと押しつけた。

「手強《てごわ》いやつだ！」シマは仲間たちによく聞こえるように声を高めた。「なにしに混《こん》へきた!? 言え！ 言わぬかっ！」

「おのれぇ！ 倏《しゅく》の三忍《さんにん》ともたたえられたこのナルト様ともあろう者が……ぬおお、一生の不覚！」と、ニカクは強調すべきところをちゃんと強調する。「これでも忍の端《はし》くれ、かくなるうえは、自《みず》ら命を絶《た》って口を封じようぞ！」

「させるかっ！」

シマはこのタイミングをのがさず、ニカクの首を手刀《しゅとう》で殴《なぐ》りつけた。

「ぬぬぬ、敵ながら天晴《あっぱれ》じゃ……」

最後にそれだけを言い残して、ニカクは白目をむいて、ガクッと気を失った。

「こいつを縛《しば》り上《あ》げて、牢《ろう》に入れておけ！」シマは仲間たちに叫んだ。「どうやら儵《しゅく》の名高い忍のようだ。カオス様じきじきに詮議《せんぎ》をしてもらおう！」

5

つぎの日は、いやに白っぽい太陽がのぼった。

樹々が鬱蒼《うっそう》と茂《しげ》る山道を、ナルトとツユは急いだ。

ゆくべき方向はわかっている。ナルトはツユに、レンゲのチャクラがだんだん「強くなる」と説明したが、それは半分嘘《うそ》だった。

どう言葉にしたらいいのか、ナルトにもわからない。このチャクラは、たしかにレンゲのものだ。

が、そこへ近づけば近づくほど、レンゲのチャクラは薄くなっていった。

いや、それともちょっとちがうな……樹から樹へと跳《と》びうつりながら、ナルトは考えた。薄くなっていってんじゃねェ、なんか、こう……こりゃ、チャクラじゃねェ、なんかまるっきりべつのもんだ。

シマの薬——それをレンゲも服《の》んでいるとしたら……

しかし、この眩暈《めまい》にも似た気分の悪さは、シマのときの比じゃない。たとえるなら、前後左右、上下、過去、現在、未来、そんなものがすっかり消《き》え失《う》せた闇《やみ》だ。その闇を満たしている得《え》体《たい》の知れないエネルギーが、焼けつくような背中の呪印《じゅいん》から、どんどん体のなかに流れこんでくる。

だが、問題はそこじゃない。一番の問題は、この混沌《こんとん》としたエネルギーに身をゆだねてしまえば、そこには想像もつかないほどの安らぎが待っているのだという予感がしてならないことだった。

根拠《こんきょ》はない。

説明もつかない。

それでも、この予感が本物だということを、ナルトは胸で知っていた。

しかも、それは封天鼠《ふうてんそ》大師《だいし》の教え——自然と調和せよ——と矛盾《むじゅん》しないように思えた。

ただ、大師の言う「自然」がコインの表なら、このエネルギーはコインの裏——仙人《せんにん》モードでは体が活性化するが、習得するのは並大抵《なみたいてい》ではない。大師はよくこう言っていた。「天に軌道《きどう》があるごとく、人、それぞれに運命ってもんがあるんだ。わかるか、少年？　自然エネルギーってのはな、運命に逆《さか》らってちゃ身につかねェぞ。自然エネルギーをだな、こう、蕎麦《そば》みてェにビヨ〜ンとのばして、ズルズルと食っちまうわけにゃいかねェんだ。粉骨砕身《ふんこつさいしん》しなきゃ、けっっっっして身になんかつきゃしないんだよ。光陰《こういん》矢の如《ごと》し、少年老いやすく、学成《な》りがたし、だ」

大師の言葉を借りるなら、いま自分を呑《の》みこもうとしているこの黒いエネルギーは、運命を担保《たんぽ》にして、神様からかすめとっている自然エネルギーみたいなものだと、ナルトは思った。

木洩《こも》れ日《び》の網《あみ》のなかを、ナルトとツユは樹から樹へ、枝から枝へと跳び進んだ。

——ナルト……

「！」

ナルトが跳ぶのをやめたのを見て、ツユも枝にとまった。

「どうしたの、ナルト？」

が、ナルトは両手で頭をかかえ、目をむき、頭のなかの声に心を奪《うば》われていた。

——やっぱりお前か、ナルト……

「……レンゲ？」

——ということは、お前も走火《そうか》入魔《にゅうま》したということだな……

——ソウカニュウマ……

ナルトは目をぎゅっとつぶり、頭のなかで念じた。

——どういう意味だよ、それ……？

——お前の体のなかに混沌《こんとん》が入りこんだということだ……

——混沌《こんとん》……

——そうだ。それが、ここまでお前を導《みちび》いた声の正体だ……

「どこだ、レンゲ！」ナルトは声に出して叫んだ。「出てこいよ、この野郎！」

ツユがびっくりして、目を丸くした。

——どうだ、ナルト？　力がみなぎってくるのを感じるだろ……

「うるせェ！」頭をかきむしる。「黙れっ！」

——オレはこの上の洞窟《どうくつ》にいる……

目の前が真っ白になっていく。

「ナルト！」ツユが叫んだ。

——こい、ナルト……

消えゆく意識のなかで、レンゲの声だけを聞きながら、ナルトは樹から落ちていった。

——お前にこの世の終わりを見せてやるよ……

6

ニカクが牢屋《ろうや》から連れ出されたのは、奇妙に白い太陽が真上に輝くころだった。

体に縄《なわ》を打たれ、護衛につき添《そ》われた状態で、ナルトに化けたニカクは白洲《しらす》にひったてられた。

居ならぶ忍《しのび》たちのなかに、シマの顔が見える。

目が合うと、シマがかすかにうなずいた。

「ひざまずけ！」白洲の真ん中までくると、護衛がニカクの膝《ひざ》の裏を棍棒《こんぼう》で打った。「これからカオス様の詮議《せんぎ》がある！　神妙に待っておれ！」

ニカクは白洲に正座をし、静かに目を閉じた。

そよ風が樹の洞《うろ》を、ひゅう、ひゅう、と吹き抜ける。小鳥のさえずり、草花のざわめき、遠くからかすかに聞こえてくる子供たちの笑い声……

ああ、この世は美しい音楽に満ちている――ニカクは思った。あの夏の日に、クヌギが言っていたのは、このことだったのか。


あれは、真昼《まひる》カエン様が自分たちの先生になってすぐのころ、たしか、みんなまだ十三歳だった。

修業が終わったあと、三人はカエン様に買ってもらったアイスキャンディをなめながら、里のあぜ道を一列になって歩いていた。

一番前がライト、一番うしろがクヌギ、そして真ん中がニカク。

夕焼けの空に、百亀山《ひゃっきざん》がまるで火のように赤く染《そ》まっていた。

ライトは歌が好きで、いつも歌ってばかりいた。それが楽しくて、ニカクもライトの調

子っぱずれな歌に合《あい》の手《て》を入れていた。

するると、ライトがおもむろに言った。「そういえば、クヌギの歌は聴《き》いたことがねェな」

言われてみれば、たしかにそうだ。ニカクはふりかえって、クヌギを見た。

「ぼくには歌は必要ないんだ」と、クヌギが言った。「だって、この世界はきれいな音楽に満ちているのに、わざわざ下手《へた》くそな歌なんかで汚《けが》さなくたっていいでしょ?」

「どこに音楽があるんだよ?」と、ライト。

「どこもかしこもさ。耳を澄《す》ましてごらん。風の音、樹々のざわめき、鴉《からす》の鳴き声、寺の鐘《かね》の音《ね》……これ以上きれいな音楽はないよ」

「ゲハハ! クヌギは年寄りみてェだ。ゲハハ!」

ライトが笑うと、ニカクもつられて笑った。

「歌は心だ」と、ライトが言った。「うれしいとき、悲しいとき、頭にきたとき……そんなとき、歌が勝手に口をついて出てくるんだ」

「歌は束縛《そくばく》だよ」と、クヌギは言った。「自然のなかにある美しい音を、人間に理解できるように、無理矢理閉じこめたものなんだ」

ライトはその言葉をいっとき考え、それからニカクに顔をむけた。

「おい、ニカク、お前はどう思う？　歌は束縛か？」

「ぼ、ぼくは……」ニカクは目を伏《ふ》せた。「ライトの言ってることもわかるし……でも、クヌギの言ってることも、なんとなく……」

「お前はそんなでっけぇ図体《ずうたい》してるのに、いっつもオドオドしてんじゃねぇよ！」そう言って、ライトはニカクの尻《しり》を蹴飛《けと》ばした。「鬼駒《おにこま》の名が泣くぞ！」

「だって……ぼく、ぼく……ふたりがケンカしたらイヤだし……」

「だれもケンカなんかしてねェし！」

「名前だってそうさ」と、クヌギ。「鬼駒ニカク、鼯鼠《むささび》ライト、百足《ももあし》クヌギ……ぼくたちは自分の名前に閉じこめられているんだ。『鬼駒』という名前だからって、なんでいつも堂々としてなきゃならないの？　ニカクみたいに、やさしくてもいいでしょ？」

ニカクはそのとき、わけもわからず涙が出そうになったのを、いまでもよく覚えている。

「オレらは忍なんだぞ！」ライトがアイスキャンディをふりまわした。「忍は忍らしくなきゃダメだ。先生だっていっつも言ってるじゃん。『忍者とは忍《しの》び堪《た》える者だ』って」

クヌギはため息をつき、道端《みちばた》に生《は》えていたキノコを指さした――

「カオス様のお成《な》ぁりぃいい！」

突然呼ばわった声に、ニカクは目を開けた。

「頭《ず》が高い！　ひかえ、ひかえぇい！」

白洲に額《ひたい》をつけたニカクが上目《うわめ》遣《づか》いでうかがうと、いましもカオスが詮議室の玉座《ぎょくざ》に腰を落ち着けるところだった。

「お前が儵《しゅく》の忍か？」カオスが言った。「なぜ混《こん》に忍びこんだ？」

二十年か……それが、ニカクの心に真っ先に浮かんだことだった。おたがい、ずいぶん年をとったなァ、クヌギ——

7

「ナルト……？」

うっすらと目を開けると、ツユの心配顔がのぞきこんできた。

「オレ……」上体を起こそうとして、ナルトは頭を押さえた。「いてて……ツユ、オレ、どれくらい……」

「もう、ずいぶん……」

ナルトは樹木のあいだから空を仰《あお》ぎ見《み》た。

白っぽい太陽がもう、ほとんど真上にきている。

「ねえ、ナルト、どうしたの？」

ナルトは頭のなかを探したが、あの声はもうすっかり消えていた。それから、考えこみ、ゆっくりと服を脱《ぬ》いだ。

「ちょ、ちょっと！」ツユが目を白黒させた。「いきなりなにすんのよ!?」

「ツユ、これを見てくれ」

「！」

ツユの目がナルトの背に釘《くぎ》づけになった。

「里を出る前に、レンゲの家にいってみたんだ」

ナルトはその夜のことをツユに打ち明けた。大百足《おおむかで》に刺されたこと、レンゲの家の隠し部屋、その部屋の壁に刻《きざ》まれた赤い羅《ら》針盤《しんばん》のような呪印《じゅいん》――

「それがオレの背中の呪印とそっくりなんだ」

「これを……」ツユはナルトの背中から目が離せない。「レンゲがやったって言うの？」

「オレにはあいつの居場所がわかる。頭のなかで声がするんだ。『こっちだ、こっちにこい』って」

「……」

「いま……夢を見てた」ナルトは言った。「オレはなんにもない空《から》っぽの場所にいた。ぜんぜん光はないけど、闇《やみ》じゃないんだ。なんと呼んでいいのかわかんねェ……とにかく、色もなにもないところだ」

　ツユは黙ってナルトの言葉に耳をかたむけた。

「その場所では、オレはオレなんだけど、オレはオレじゃなかった……上手《うま》く言えねェんだけど、なんつーか……オレはものすごくでかいものの一部だった。海んなかの、一滴の水みたいに」

「怖《こわ》いわね」

　ナルトはびっくりしたようにツユを見つめ、それから首をふった。「その逆だよ」

「……え？」

「ものすごく気持ちがよくて……安心していられたんだ」

「……」

「もし、そこがレンゲのいる場所なら……夢のなかで、オレ、ほんのちょっとだけわかる気がした。もしこの場所が混沌《こんとん》だとすれば、レンゲが引き寄せられちまったのも無理はないって思った」

「レンゲは……」ツユの唇《くちびる》は小刻みにふるえていた。「レンゲは、そこにいるの?」

「レンゲはこの上の洞窟《どうくつ》にいる」

「……!」

「あいつが直接、オレの頭んなかに語りかけてきた」

「ほかにも……なにか言ってた?」

「いや……べつに」——お前にこの世の終わりを見せてやる。「とにかく、急ごう」

「でも……あんた、大丈夫なの?」

「ああ」ナルトは立ち上がった。「なんでか知んねーけど、力がみなぎってんだ」

8

ニカクは白洲《しらす》にひざまずき、顔を伏《ふ》せたまま、カオスの質問になにひとつ答えなかった。

胸がいっぱいで、言葉が出てこなかったのだ。

ニカクはいま、ナルトに化けている。それでも、カオスに、自分の頭の角《つの》に気づいてもらいたかった。それだけでいい。そうすれば、カオスとのあいだに、言葉が見つかるような気がした。

蒼白《そうはく》な太陽がすこしずつ、西にかたむいていく。

「いずれにせよ、スパイは死罪だ」カオスが言いわたした。「お前はそのまま、ずっと口をつぐんだまま死ぬつもりか?」

「カオス様」ニカクは顔を上げた。「あなたは、ほんとに愚公移山《ぐこういざん》を発動されたのですか?」

「無礼な!」すぐさま護衛が棍棒《こんぼう》をふり上げる。「詮議《せんぎ》されておるのは、お前のほうだぞ!」

「よい」カオスが手を上げ、護衛を制する。「ナルトとか言ったな?」

「はい」と、ニカク。

「儵《しゅく》では、沌《とん》の一件をどう見ている?」

「知れたことです」

「ふむ」カオスはうなずき、すこし考えてから、また口を開く。「第一次忍界《にんかい》大戦で、儵《しゅく》と混沌《こんとん》は共同研究チームを立ち上げて、禁術の研究に取り組んだ。そして、いま、沌《とん》の頭上にその禁術が落ちた。よって、混《こん》が犯人にちがいない、と？」

ニカクはカオスをにらみつけた。

「儵《しゅく》とは、どこまでも浅はかだ」カオスはため息をついた。「我ら混《こん》は、たしかに禁術を完成させた」

「！」

「しかし、それは愚公移山《ぐこういざん》ではない」

「それを信じろと？」

「信じる、信じないはお前の勝手だ」

ニカクとカオスの視線がぶつかり合う。

と、カオスの眉間《みけん》にしわが寄った。

「お前のその角は……」

「カオス様はモジホコリというキノコをご存知ですか？」このタイミングで、ニカクは切りだした。「ある種のキノコは、粘菌《ねんきん》の死骸だそうです」

「………」

「粘菌というものは、形を持ちません。ねばねば、うねうねと寄りあつまり、じつに千差万別な形をしております。それが死ぬと、あのようなキノコの形になります」ひと息つく。「人の目にはキノコが生えてくるように映る。しかし、キノコは生えてくるのではありません。死んで形づくられるのです」

「人の目に映《うつ》る生死は、ありのままの生死じゃない」と、カオスが応じる。「人は形に囚《とら》われる生き物なんだ」

「『すべての形は、人間の偏見《へんけん》でしかないんだ。だから、ライト、だれかの答えを自分のものだというフリをするな。ぼくたちは、いつも自分の頭で考えなきゃだめなんだ』」

「『それが、ほんとの自分自身になるということなんだから』」カオスの目元がふと和《なご》んだ。

「まだそんなことを覚えていたのか、ニカク？」

「あなたも」

「あの日は、修業のあとで真《ま》昼《ひる》カエンからアイスキャンディを買ってもらったんだったな」

「はい」

「ライトが下手《へた》くそな歌を大声で歌ってたっけ」

「いったい、なにがあったんですか？」

「自分の道を見つけたんだ」カオスは肩をすくめた。「それだけさ」

「その道に沌《とん》という石が落ちていたのですか？」

「そういう見方もできる」

ニカクが苦しそうに、うなった。「だから、排除したと……」

ポンッ！　というかわいた音が響《ひび》きわたったのは、そのときだった。

と、風が吹きつのり、一条の竜巻《たつまき》が空から降《お》り、またたく間にニカクの体を吸い上げてしまった。

動ける者は、ひとりもいなかった。

樹々や草花が風にたわみ、白洲の砂が舞い上がった。

だれもが竜巻に巻きこまれまいと、なにかにしがみついたり、姿勢を低くしたりした。

青天に稲光《いなびかり》が走り、雷鳴が轟《とどろ》く。

つづいて、白洲が一面の白煙に包まれた。

「なんだ、この煙は!?」護衛や忍《しのび》たちに動揺が走る。「出合え、出合え！」

もうもうたる白い煙幕に巨人のような影が映ったと思いきや、鎧兜《よろいかぶと》を身にまとい、頭には水牛の角、腰に大太刀《おおだち》をさげた羅刹《らせつ》が、その巨大な足で煙を蹴破《けやぶ》って出てきた。

「受けとれ、ニカク！」

シマが放り投げてきた瓢箪《ひょうたん》を、ニカクは片手でしっかりと受けとった。「百点満点のタイミングでしたよ、シマさん」

カオスは微笑をたたえた顔で、まぶしそうにニカクを見上げていた。

「あれから、ぼくは形について考えるようになった」少年の日のニカクは、かつての友を見すえた。「だけど、まだ形にかわるものを見つけ出していないよ、クヌギ」

9

鬱蒼《うっそう》とした森を進んでいくと、突然、ぽっかりとえぐれたような空地《あきち》に出た。そこにだけ、光が降りそそいでいる。一面の草原で、矢車草《やぐるまそう》が小さな紫色《むらさきいろ》の花をいっぱいつけていた。

目的の洞窟《どうくつ》は、なかば蔦《つた》におおわれるようにして、口を開けていた。

ナルトとツユは、その空地の手前で足を止め、樹の陰《かげ》に身をひそめたが、頭上から音もなく舞い降りてきた混《こん》の忍《しのび》にまったく気がつかなかった。

「！」

クナイがツユの肩をえぐり、地面に突き刺さる。

手裏剣《しゅりけん》がナルトの頰《ほお》を縦一文字《たていちもんじ》に切《き》り裂《さ》いた。

「ツユ、大丈夫か!?」

「ナルト、うしろ！」

ナルトは身をかがめ、背後から襲《おそ》ってきた敵の腕をとって投げ飛ばす。

ふたりは、追いたてられるようにして、空地に飛び出した。

そのあとに、〝？〟の額《ひたい》あてをした忍たちが旋風《つむじかぜ》のようにつづく。

ナルトは走りながら、敵の数を数えた。十や二十じゃきかない。

ナルトとツユは背中合わせになり、幾重《いくえ》にもとり巻いた敵とむき合った。

「こいつら、チャクラをぜんぜん練《ね》ってねェぞ」ナルトは背後のツユに声を投げる。「こりゃ、ニカクが言ってたことは……」

「は、は、はしごね」

混《こん》の忍たちの目には、異様な光が宿っていた。まばたきすらしない。まるで昆虫のように、どこを見ているのか、わからない。

酔《よ》っ払《ぱら》っているようにも見える。口に笑《え》みを浮かべている者は、ひとりやふたりじゃなかった。

「オレたちは傭《しゅく》の忍だ！」ナルトが呼ばわる。「戦いにきたんじゃねェ！　その洞窟にいる男に用がある！」

返事のかわりに、クックックック、と忍《しの》び笑《わら》いが広がった。

包囲網《ほういもう》がじりじりとせばまる。

と、背後のツユが地面を蹴《け》って跳《と》び上《あ》がった。

それが合図になって、忍たちがいっせいに襲いかかってくる。

ナルトは空気を裂いて飛んでくる手裏剣をクナイでふせぎ、ツユの位置を確認し、手早く印《いん》を結んだ。

「迅風覇斬《じんぷうはざん》！」

身を切るような風の刃《やいば》が、目の前の敵を斬《き》り伏《ふ》せた。

「キャー！」

ツユは敵をひとり殴《なぐ》り飛《と》ばした隙《すき》に、もうひとりに飛びかかられていた。

「ツユ！」

ツユにしがみついた敵は、よだれの糸を引きながら、牙《きば》のびっしり生《は》えた口を大きく開けた。

悪寒《おかん》がナルトの背筋《せすじ》を駆け上がった。こんな技《わざ》は見たことも、聞いたこともない。とっさに流星丸《りゅうせいがん》を繰《く》り出《だ》して、敵の腹にたたきこむ。

ギャッ！　と短く叫んで、敵が倒れた。

「大丈夫か、ツユ!?」

「こいつら、咬《か》みついてくるわ！」

敵はまるでバッタのように地面に伏せ、歯をガチガチ鳴らして間合いを読んでいる。

ナルトとツユは、ふたたび背を合わせた。

「混遁《こんとん》、首切螽蟖《くびきりぎす》！」

「もう、いい」

敵のひとりが叫び、空中に跳び上がったとき、その声は不意に漂ってきた。

「！」

ナルトとツユの目が洞窟のほうへ飛ぶ。

「このふたりは、お前たちの手には負えないよ」

跳び上がったやつは技の発動を諦《あきら》めて着地し、ほかの忍たちといっしょに這《は》いつくばったまま洞窟へもどっていった。さながら、暗闇《くらやみ》に逃げ帰ろうとする影のように。

「混《こん》の里には首切螽蟖という蟲《むし》がいるんだ。体は緑、口は赤。咬みつくとなかなか離れず、首がもげてしまうところからそう呼ばれている」洞窟の暗がりから人影がゆっくりと出てくる。「一回使ったら死んでしまう、くだらない技だ」

ナルトが目をすがめ、ツユは目を見開いた。

「さてと」人影は一歩一歩、光のなかへと足を踏み出してくる。「どこから話そうか」

ナルトは奥歯をぎゅっと嚙《か》みしめた。

ツユの体はガタガタふるえていた。

そして、ついに蒼《あお》ざめた太陽がゆれた。

「レンゲぇ……」ナルトの喉《のど》の奥から、うなり声にも似た音がもれた。「てめー、こんなところでなに……」

残りの言葉が消し飛んだ。

着流《きなが》しの前をはだけ、長い髪を風にたなびかせているレンゲ——その胸には、ナルトの背中にあるものと寸分《すんぶん》たがわぬ羅針盤《らしんばん》があった。

10

「聞かせてくれませんか、クヌギ?」ニカクが呼ばわった。「あなたはカエン様に討《う》たれたのではないのですか?」

「あの男に追いつめられたオレは、ありったけのはしごを服《の》んだ。自決するつもりだった。それで仮死状態になることを、あのときはだれも知らなかった」クヌギが応じる。「オレでさえ、目を覚まして驚いたほどだ」

「そのはしごを、あなたは混《こん》の里の忍《しのび》にあたえたのですか?」

「毒と薬は、本来おなじものさ。もちろん、オレなりに改良はくわえた。葬《ほうむ》り去《さ》るには惜《お》しい薬だったんでな」

「そのはしごのせいで、ライトは命を落としました……」

「見方を変えてみろ、ニカク」

「……」

「自然界にあっては、生も死も、人間が勝手に呼んでいる現象にすぎない」

ニカクとクヌギは、おたがいの視線を一歩もひかずに受け止めた。

「自然界がどうだか知りませんが……」ニカクが押し殺した声で言った。「人には生も死もあります。そして、だれかが死ねば、悲しい。それが人間にとっての自然だと思います」

「もっと目を開け、ニカク」と、クヌギ。「混沌《こんとん》のうちにあっては、悲しみすら存在しないんだ」

「もはや……これまでですね」

「ああ、どうやらそのようだな」

ニカクが飛びすさると、クヌギは自分の手の親指を嚙《か》み切《き》り、呪文《じゅもん》を唱《とな》えながら白洲《しらす》に跳《と》び下《お》りた。

「口寄《くちよ》せの術！」自分の血を大地に押しつけるクヌギ。「倶利伽羅竜王《くりからりゅうおう》！」

すると、一片《いっぺん》の雲もなかった青空に突如《とつじょ》黒雲が寄りあつまり、放電し、火焔《かえん》につつまれた巨大な剣《つるぎ》が吐《は》き出《だ》された。

シマは上空を見上げて、息を呑《の》んだ。

一太刀《ひとたち》で竜《りゅう》をもなぎ倒せるほどの大きさだ。

じっさい、剣には黒竜が巻きついていた。その口が柄《つか》をしっかりとくわえている。口から、鼻から、そして耳からも黒い煙をたなびかせながら。眼球には炎がおどっていた。

「山祇《やまつみ》！」

すかさず、ニカクも術を出す。

天にかざした瓢簞《ひょうたん》が白煙を噴《ふ》き、刀身のそりかえった大太刀を吐き出す。その大きさたるや、クヌギの倶利伽羅竜王《くりからりゅうおう》に勝《まさ》るとも劣《おと》らない。

「ニカク、こうしてお前とやり合うのは、はじめてだな」

クヌギが空に舞い上がり、黒竜の吐き出した黒雲の上にすっくと立つと、ニカクも瓢簞を空高く放り上げた。

「瓢簞舟《ひょうたんぶね》！」

ボンッ、と瓢簞が白煙を噴いて巨大化する。

ニカクは、ふんっ、と地を蹴《け》って跳び上がり、その瓢簞に片足で立った。その姿は、さながら雲にのる仁王《におう》のようだった。山祇《やまつみ》がそばに浮かんでいる。

ふたりは里の上空で対峙《たいじ》した。

「鬼駒《おにこま》ニカク、参《まい》る！」

ニカクがぴったりと合わせた人差し指と中指を立てて口のなかで呪文を唱えると、山祇《やまつみ》がごうっと黒雲を切《き》り裂《さ》いてクヌギを襲《おそ》った。

クヌギの倶利伽羅竜王《くりからりゆうおう》が最初の一太刀をふせぐ。

二本の刀がぶつかり合って、火花を散らした。

11

「どういうことだよ……」ナルトはレンゲの胸の呪印《じゆいん》から目が離せない。「なんで、お前の体にそれが……」

「これは走火入魔《そうかにゆうま》した者の徴《しるし》だ」レンゲの声はやわらかだった。

「レンゲ！」ツユが涙声で叫ぶ。「レンゲじゃないよね？　レンゲが沌《とん》を滅《ほろ》ぼしたんじゃないよね？」

「ちがう」レンゲの切れ長の目がツユのほうへ流れる。「オレが沌《とん》を滅ぼしたんじゃない」

「よかった……」ツユはぺたりと地面にすわりこみ、てのひらの付け根で涙をぬぐった。

「あたし、あたし……」

「オレは愚公移山《ぐこういざん》が沌の里からもれないようにしただけだ」

「沌《とん》……？」と、ナルト。「どういうことだよ？　愚公移山《ぐこういざん》は混《こん》が完成させたんじゃねェのかよ？」

「ちがう」

ツユがハッと顔を上げた。

「ちょ、ちょっと待てよ……なにがなんだか、わかんねェぞ」首をひねるナルト。「むかし、儵《しゅく》と混沌《こんとん》がその禁術を共同開発した……そんで、沌《とん》がその禁術にやられた。オレらの里はなんもやってねェ。つまり……」

「消去法でいくと、混《こん》が下手人《げしゅにん》ということになるな」

「でも、ちがうんでしょ！」と、ツユ。「禁術を発動したのがだれでも、レンゲは関係ないよね？」

「ああ、オレは禁術の発動とは関係がない。さっきも言ったように、オレは愚公移山《ぐこういざん》を沌《とん》から外にもれないようにしただけだ」

「じゃあ、だれがその禁術を完成させたんだよ?」と、ナルト。

「沌《とん》だ」

「!」

「オレたちは沌《とん》が禁術の実験をやるという情報を掴《つか》んだ。やつらは愚公移山《ぐこういざん》を発動し、百《ひゃっ》亀山《きざん》を持ち上げ、もとの場所へ下ろすつもりだった。オレはその場所をすこしずらしてやっただけだ。近い将来、やつらが百亀山をほかの里に落とす前に、オレがやつらの頭の上に落としてやったんだ」

「どうやったんだよ?」

「葬天《そうてん》計画はふたつのプロジェクトから成《な》っていた。愚公移山《ぐこういざん》を発動するプロジェクトと、発動した愚公移山《ぐこういざん》を誘導するプロジェクトだ」

「つまり、混《こん》のほうには誘導するプロジェクトが伝わったってことか?」

「そうだ」

「でも!」と、ツユ。「レンゲがそんなことをしたのは、禁術の復活を阻止《そし》するためなんでしょ?」

「とにかく里に帰ろうぜ」ナルトが言った。「そんな事情があったんなら、三代目のジジ

イだってわかってくれるさ」

「オレはもう里には帰らない」レンゲが言った。「それに、まだ話は終わってない」

「……？」

「禁術はもうひとつあるんだ」

「もうひとつ……？」

「沌《とん》が消滅したあと、オレたちは愚公移山《ぐこういざん》を混《こん》の里長《さとおさ》の体に封じこめた」

「オ、レ、た、ち？」

「オレと、混《こん》の里長カオスだ」

ナルトとツユは顔を見合わせた。

「そのカオスってのはよ……」と、ナルト。「お前の親父《おやじ》なのか？」

レンゲが目をすがめた。

「今回、オレらとスリーマンセルを組んだやつがそうじゃねェかって……」

「そうか」レンゲがふと微笑《ほほえ》む。「知ってたのか。そうだ。カオスはオレの父、百足《ももあし》クヌギだ」

「お前たちは愚公移山《ぐこういざん》を、お前の親父の体に封じこめたのか？」

「そうだ。混《こん》と沌《とん》はもともと、ひとつの里だった。だから、沌《とん》が禁術の開発を再開したということは、すぐに混《こん》の上層部に伝わった」

ナルトとツユは黙ってレンゲの話に耳をかたむけた。

「混沌《こんとん》には里を守るために、代々受《う》け継《つ》がれてきた禁術がある」レンゲが言った。「その禁術はほかの禁術を呑《の》みこんで、自分のものにする。つまり、禁術を封じこめるための禁術だ。戦《いくさ》に負け、大国の価値観を押しつけられて、いまではもう使える者もいないがな」

「それが、そのもうひとつの禁術ってやつかよ?」

「そうだ」

「禁術を封じこめるための禁術……代償《だいしょう》はなんだよ? 愚公移山《ぐこういざん》を体んなかに封じこめたお前の親父はどうなっちまうんだ?」

「死が体のなかに寄生してしまう」

「……」

「寄生虫に操《あやつ》られる蟲《むし》のように、死に操られてしまう。無数の死を求めるようになる。自分自身の死をふくめてな」

「お前はそれでいいのか? 自分の親父がそんなふうになっちまっても、なんとも思わね

ェのかよ?」

「倏《しゅく》を追われたオレの父は、混《こん》の里に身をひそめた。そして、二十年の時間をかけて……」レンゲは自分の胸の羅《ら》針盤《しんばん》を見下ろした。「この走火《そうか》入魔《にゅうま》を復活させたんだ。人間の体なんて、ただの容《い》れ物《もの》だ。そのなかになにを入れるかは、人それぞれだ。お前たちが生をよろこぶのとおなじ理由で、オレたちは死をよろこべる。それだけの話だ」

「いったい、なんなんだよ、この羅針盤みてーな呪印は?」

「混沌《こんとん》に愛されし者の徴《しるし》だよ」

「わけわかんねーな」ナルトはじれったそうにレンゲに近づき、その肩に手をかけようとした。「とにかく、里に帰ろうぜ。それから、ゆっくり……」

レンゲはナルトの手をはじいた。「言ったはずだ。オレはもう里へは帰らない。まだわからないのか、ナルト?」

「………」

「愚《ぐ》公移《こうい》山《ざん》はもう完成してしまった。それをなかったことには、もうだれにもできやしない。オレたちにできることは、この禁術とともに生きていくことだけだ」

「だから、早く里に帰ろうってんだよ。そんな物騒《ぶっそう》なもんは、早くなんとかしてもらわ

ねェと……」

　そこまで言って、ナルトはハッと気がついた。

「どうした？　つづきを言ってみろ。早くどうしなきゃならないんだ？」

　ナルトは二の句が継《つ》げない。

「だったら、オレが言ってやる」レンゲはナルトをまっすぐに見た。「『そんな物騒なものは混《こん》なんかにまかせておけない、早く倏《しゅく》の管理下におくべきだ』——ちがうか？」

　ナルトはグッとレンゲをにらみつける。

　ツユの瞳《ひとみ》が、ふたりのあいだでゆれた。

「他国が絶大な殺戮《さつりく》兵器を所有する恐怖……ナルト、お前にもわかるだろ？　他国に愚公《ぐこう》移山《いざん》をとられるわけにはいかないんだ」

「倏《しゅく》はお前にとって他国じゃねェだろ⁉」ナルトはレンゲの胸倉《むなぐら》を掴《つか》み上《あ》げた。「お前は故郷《ふるさと》を危険にさらそうとしてんだぞ！」

「それなら、混《こん》の安全はだれが保障する？」

「これまでだって、倏《しゅく》は混《こん》を守ってきたじゃねェか！」

「守ってきた？」レンゲが鼻で笑う。「いかにも大国らしい驕《おご》った考え方だな」

「てめー……」

「笑わせるな！　儵《しゅく》がいなかったら、第一次忍界《にんかい》大戦も、第二次忍界大戦も起こりはしなかった。混沌《こんとん》だって分裂しなかった。それでも、お前は儵《しゅく》が混《こん》を守っていると言うのか？　それでみんなが幸せになると？」レンゲはナルトの手をふりはらう。「じゃあ、お前に訊《き》こう。なぜ沌《とん》は禁術を完成させなければならなかった？」

ナルトはなにも言いかえせない。

「儵《しゅく》の庇護《ひご》のもとで、みんなが平和を享受《きょうじゅ》しているのなら、愚公移山《ぐこういざん》の出る幕などないはずだ。ちがうか？」

「不満分子はいつだっているわ！」と、ツユが口を出す。「愚公移山《ぐこういざん》を完成させる人がいたって、そんなのは多数派じゃないはずでしょ？　儵《しゅく》の力が平和を守っていることには変わりない！」

「ツユ、お前は世界が見えてない」

「そんな！」

「大国のなかでぬくぬく暮らしている者に、小国の苦しみが理解できるはずがない」

「レンゲは……レンゲはなにをしようとしているの？」ツユは食い下がる。「愚公移山《ぐこういざん》を

ひとり占《じ》めすれば、それで混《こん》が平和になれると思ってるの？　そんなの、まちがってる。儵《しゅく》だけじゃない。忽《こつ》の柳生《やぎゅう》ムエイだって動くわ。愚公移山《ぐこういざん》をめぐって、今度は混《こん》が戦場になるのよ！」

「混《こん》は戦場になどならない」レンゲの目が冷たく光った。「もう手は打ってある」

　ツユは言葉を呑んだ。

「どんな手を打ってんだ、ああ!?」腹の底に氷の塊《かたまり》のようなものがすっと落ちていくのを、ナルトは感じた。「そういえば、この世の終わりがどーのこーの言ってたな……てめー、里に戦を仕掛けるつもりじゃねぇだろうな」

「それは儵《しゅく》や忽《こつ》の出方しだいだ」

「なにやった!?　里に手ぇ出したら承知しねェぞ、こら！」

「答えるつもりはない」

「やめて、ふたりとも！」ツユが叫んだ。「ナルトもレンゲも、もっと冷静になってよ！」

「だったら……」ナルトの目がすわる。「腕ずくで聞き出してやるよ」

「無理だ。お前はけっしてオレには勝てない」

「なめんなよ……」

「もう一度言う。ナルト、お前はオレには勝てない」レンゲが言った。「なぜなら、お前も混沌《こんとん》に愛されし者だからだ」

第四章

この世の終わり

1

先に動いたのは、ナルトだった。

煙玉《けむりだま》をたたきつけると、たちまちレンゲが煙にまかれた。

跳《と》びのきざま、ナルトはその煙にクナイを投げこむ。

手ごたえあり！

が、煙が散ったあとに残っていたのは、クナイの突き刺さった丸太——

「ナルト、上！」

ツユの声に顔を上げると、太陽を背にしたレンゲの影がもうそこまで迫《せま》っていた。

ナルトはとっさに地面をころがって、レンゲのクナイを避《よ》けた。ころがりながら、印《いん》を結ぶ。

「分身の術！」

と、空気が破裂したような音につづき、ナルトの分身が二つ、三つとあらわれた。

「レンゲ！」ナルトたちの怒号《どごう》が轟《とどろ》く。「てめー、腕ずくでも里に連れ帰るからな！」

レンゲは襲《おそ》いくるナルトの分身を、つぎつぎになぎ倒していく。そのたびに、分身は、ボンッ、と雲散霧消《うんさんむしよう》した。

「レンゲ、ごめんっ！」

ツユに渾身《こんしん》の力で殴《なぐ》り飛《と》ばされると、今度はレンゲの体がゆらゆらと蜃気楼《しんきろう》のようにかき消えた。

「ツユ」と、レンゲの声。「冷静になれ。お前なら、オレの言っていることがわかるはずだ」

「レンゲの言うことは、わかる！」ツユが叫ぶ。「でも、胸がざわついてしょうがない！」

「残念だ……」

蜃気楼がツユの背後に立ち、ツユはふりむく間もなく殴り倒された。

「うおおお！」ナルトの分身が三人、クナイを握《にぎ》りしめて突進する。「レンゲぇ！」

「水乃月《みずのつき》！」

レンゲの姿がゆらめく。

そして残像を残しながら、ナルトの分身たちを素早く消していった。

「ツユ、花を出せ！」と、ナルト。

それに応《こた》えて、ツユが印を結ぶ。「風遁《ふうとん》、乱れ百花《ひゃっか》！」

ツユがてのひらにふうっと息を吹きかけると、そこから桜の花びらが舞い、戦いの場を薄桃色《うすももいろ》に染《そ》めた。

ナルトはクナイをレンゲにぶつけるが、レンゲはまたしても、水面《みなも》に映《うつ》った月のように姿を消す。

が、ひらひらと舞う桜のなかに、一か所だけ、花びらが動かないところがある。

「そこだっ！」ナルトが地面を蹴《け》って跳ぶ。「風遁、流星丸《りゅうせいがん》！」

吹き飛ばされたレンゲの体が、大きな樹に激突した。

花びらと、舞い上がる土ぼこりのなかで、ナルトの分身たちがいっぺんに消える。

レンゲが立ち上がる。

「これでも、オレはお前に勝てねェってのかよ」

「ああ、そうだ」レンゲは口の端《はし》の血を手でぬぐった。「お前はオレには勝てない」

「てめー、まだそんなことを……」

「オレのほうが強いという意味じゃない」

「……………？」

「どうしてお前の体に呪印《じゅいん》がついたと思う?」

ナルトは目をすがめた。

「それは、お前のなかにも混沌《こんとん》があるからだ」レンゲが言った。「なにがお前の体に呪印を刻《きざ》みつけたにせよ、それからはお前の知っているチャクラは感じとれなかったはずだ」

ナルトはあの夜のことを思い起こした。

たしかに、あの大百足《おおむかで》からは、なんのチャクラも感じられなかった。もしチャクラを感じとれていたら、いきなり背後から襲われるはずがない——

「お前たちのチャクラを陽《よう》とすると、オレたちが手に入れたチャクラは陰《いん》だ。オレの部屋にあった呪印はトンネルのようなものだ。一定量の陰のチャクラを感知したら、なにかがそこからあらわれて陰のチャクラの持ち主を取りこむ」

「お前が術式を組んだのか?」

「そうだ」

「なんでだよ……なんのために、そんなことをしたんだ!」

「混沌《こんとん》の心を受《う》け継《つ》がせるためさ」

「……!」

「こっち側へこい、ナルト。混《こん》の里はお前を歓迎するだろう」

「陰のチャクラ……」ツユが前に出る。「それって、はしごと関係があるの？」

「ほう、そこまで知っていたのか」

ナルトとツユは目を見交《みか》わした。

「新しく錬成《れんせい》されたかいだんは、人の陰のチャクラを増幅させる」

「レンゲ……じゃあ、あんたもかいだんを……」

「オレにはもう必要ない。かいだんはただの入口だ。新しいチャクラのチャンネルを見つけるための」

「ちくしょう……なにがなんだか、さっぱりわかんねェや」

レンゲとツユの目がナルトに飛ぶ。

「だけど、わかってることもある」ナルトは拳《こぶし》を握りしめた。「お前らがやろうとしてることは……かけっこでビリッケツのやつが、くるっとむきを変えて、逆走するようなもんだ」

レンゲはなにも言わなかった。

「ふつうに走ってたら勝てねェもんだから、みんなと反対に走って、ほんとはこっちのコ

ースが正しいんだって言いたいんだろ」

レンゲがわずかに目を細めた。

「冗談じゃねェや、だぁれがてめーらの側なんかにいくか」ナルトは言った。「オレ様はなぁ、正々堂々と走って一等賞を獲《と》ってやらぁ！」

「見解の相違だな」

「やっぱ、てめーにはもうなに言っても無駄《むだ》みてーだな」

ナルトとツユはレンゲから目をそらさなかった。

空気がすこしずつ粘《ねば》りけを増していく。

六歳のときから、三人でいっしょに修業をしてきた。ナルトの目の前を、過ぎ去りし日々がよぎる。第二次忍界大戦《にんかいたいせん》では、この三人でスリーマンセルを組んで戦った。レンゲに命を救われたことだって、何度もある。

修業のあとで、シュウ先生におごってもらった一楽《いちよう》のラーメン……修業をさぼって、三人で泳ぎにいったこと……水着に着がえているツユをのぞき見して、殺されかけたっけな……いっしょにのぞいたのに、レンゲにはなんのおとがめもなかった……それどころか、ツユのやつ、ぽっと頬《ほお》なんか染めちゃってよ……くそ、うれしそうにもじもじしてやがっ

た……そのツユがレンゲのことを好きだと知った日は、マジで涙が止まらなかったな……レンゲがツユをふったときは、はらわたが煮《に》えくりかえった……

そういえば、この状況ってあのときとちょっと似てるな――

「あのときを思い出すな」そう言ったのは、レンゲだった。

「ああ」ナルトがにやりと笑った。「あんときは勝負がつかなかったな」

「やるんなら、覚悟しなさいよ」と、ツユ。「あたしの鶏《とり》は百足《むかで》が大好物なんだから」

レンゲの目がナルトからツユにうつる。

ナルトはそんなレンゲから目を離さない。

ツユはナルトの目の端《はし》にうなずいてみせる。

だれもが、いまがそのときだとわかった。

パッと跳びのきざま、三人は自分の指を噛《か》み切《き》り、着地と同時に大地に血の契約印をたたきつけた。

亥《い》!

戌《いぬ》!

酉《とり》!

申《さる》！

未《ひつじ》！

「口寄《くちよ》せの術！」

三人の声が重《かさ》なった。

2

混乱に乗じて、シマは里を抜け出した。

丘の上に立って見上げると、山祇《やまつみ》と倶利伽羅竜王《くりからりゆうおう》が天空で火花を散らしている。

山間《やまあい》に、太刀《たち》と太刀のぶつかり合う音が谺《こだま》した。

そのすこし下のほうでは、瓢箪《ひようたん》の上に立ったニカクと、黒い雲にのったクヌギが剣を交《ま》じえている。

瓢箪と黒雲が飛《と》び交《か》い、ぶつかり合っては、またはじけたように離れる。

山祇《やまつみ》がクヌギを襲《おそ》うと、倶利伽羅竜王《くりからりゆうおう》がそれをふせぐ。

倶利伽羅竜王《くりからりゆうおう》が瓢箪を真っぷたつにしたと思いきや、山祇《やまつみ》に下からはじきかえされた。

大小四本の剣が、空を縦横無尽《じゅうおうむじん》に切り裂《き　さ》いていた。

倶利伽羅竜王《くりからりゅうおう》がとおったあとには、黒い線が幾筋《いくすじ》も引かれている。

山祇《やまつみ》の切っ先が弧《こ》を描くたびに、空に白い筋がすっと走った。

「………？」

なにかに呼ばれたような気がして、シマはふりかえった。

はるか遠くに霞《かす》んでいる百亀山《ひゃつきざん》。

じっと見つめていると、その緑の山頂のすこし下から、突然白い雲が噴き出《ふ　だ》した。まるで山が煙草《たばこ》を、ぷかぁ、っと一服やったように見えた。

「なんだ……？」

シマは目を凝《こ》らした。

が、雲はある大きさになると、そのまま百亀山のどてっ腹にわだかまって動かない。

首をかしげかしげ、ニカクの戦いに目をもどしかけたとき、ドンッ、という衝撃波《しょうげきは》がとどいた。

「！」

衝撃波はあとふたつ、まるで音だけ遅れてとどく花火のように、シマを打った。

3

山祇《やまつみ》と倶利伽羅竜王《くりからりゆうおう》が鍔《つば》ぜり合《あ》いをしているのを目の端《はし》に映《うつ》しながら、ニカクは瓢箪《ひようたん》をクヌギにむかって飛ばした。

黒雲にのったクヌギは、ニカクの大太刀《おおだち》を剣でなぎ払う。

いったい、これで何太刀目だ？　瓢箪のむきを変えながら、ニカクは大太刀を頭上にふり上げた。このままじゃ、埒《らち》が明かない！

瓢箪と黒雲はぶつかり合い、すれちがい、また磁石に引かれるようにして、おたがい目がけて飛んでゆく。

「ハハハ！」クヌギは巧《たく》みに黒雲をあやつり、瓢箪に迫《せま》ってくる。「こうしてお前と刀を交《ま》じえることになるは思わなかった！」

「ぬんっ！」ニカクは相手の切っ先を大太刀でたたきつける。「まだまだ！」

一進一退の攻防がつづいた。

そうやって果てしなく打ち合って、永遠とも思える時間が過ぎたころ、突然の衝撃波《しようげきは》が

ニカクを打った。

「おっ、だれかが口寄《くちよ》せの術を使ったようだな」

そう言って西の空を眺めやったクヌギに、一瞬だけ隙《すき》が生じた。

ニカクはすかさず印《いん》を結ぶ。「山荒針《やまあらし》!」

瓢箪の口から無数の針が飛び出して、クヌギの黒雲を刺《さ》し貫《つらぬ》いた。

きりもみしながら、落下していく黒雲。倶利伽羅竜王《くりからりゅうおう》が爆発音とともに雲散霧消《うんさんむしょう》した。

「やったか!?」

ニカクは大太刀を横に構え、瓢箪を急降下させた。

黒雲に追いつき、胸に何本も針の刺さったクヌギが目に映ると、ニカクは横ざまに大太刀を払った。

クヌギは目を閉じたままだ。

「もらった!」

が、ニカクがそう叫ぶのと、背中を切《き》り裂《さ》かれるのと、まったく同時だった。

「!」

「忘れてただろ、ニカク?」クヌギが目をぱちっと開けて、にんまりした。「百足《むかで》はいつ

だって夫婦で行動するんだよ」

ニカクは背中にとりついた大百足をむしりとって、その体を力まかせに半分にちぎった。

煙になった山祇《やまつみ》が、瓢箪に吸いもどされる。

西のほうから、さらに二発、衝撃波がとどく。

その音を聞きながら、ニカクとクヌギは、もつれあって地面に墜落した。

4

樹々の鳥たちがいっせいに飛び立ち、小さな動物たちが我《われ》さきに逃《に》げ惑《まど》った。

衝撃波《しょうげきは》の大きさで、草がべたっと地面になぎ倒される。

爆風が白煙を散らすと、天を衝《つ》くほどの怪鳥が姿をあらわした。

翼《つばさ》を広げると、優《ゆう》に二十メートルはある。七色の尾羽《おばね》は一度上にのび、それから、まるで枝垂《しだ》れ花火のように長く地に落ちている。嘴《くちばし》はさながら大鎌《おおがま》のように鋭い。

「迦楼羅《かるら》、見参《けんざん》！」

ツユは炎のように燃え立つ鶏冠《とさか》の前にすっくと立った。

「ご機嫌《きげん》、麗《うるわ》しゅうございます、ツユ様」怪鳥、迦楼羅《かるら》が言った。「相変《あいか》わらず、お美しい」

「ありがとう、迦楼羅《かるら》」

衝撃波がさらに二回、百亀山《ひゃっきざん》の天地をゆるがす。

もうもうと立ちのぼる白煙に映《うつ》った影は、天にとどく塔《とう》と見紛《みまが》うほどだった。

「こら、レンゲ。てめー、どういう了見《りょうけん》だ?」地の底から響《ひび》いてくるような声だ。「オレはてめーの家来《けらい》じゃねぇんだぞ」

「すまない、蜈蚣丸《ごこうまる》」その怪物百足《むかで》の頭上には、レンゲの姿があった。「だけど、それもこれも、この世を混沌《こんとん》にもどすためなんだ」

「なに寝言こいてやがる」蜈蚣丸《ごこうまる》が言った。「人間なんざにほんとの混沌《こんとん》がわかってたまるか。食っちまうぞ、てめー」

怪物百足の大きさは、迦楼羅《かるら》に勝《まさ》るとも劣《おと》らない。節《ふし》くれだった赤黒い体に、まるで剣のような橙《だいだい》の足が無数に生《は》えている。大顎《おおあご》の毒バサミからしたたり落ちた唾液《だえき》が、百亀山の樹々を一本、また一本と溶かしていく。

「そう言うな、蜈蚣丸《ごこうまる》」レンゲは白煙をにらみつけながら、怪物百足に言った。「人間は

人間で努力しているのだから」

その白煙がゆっくりと風に吹き流されると、最後の影がぼんやりと姿をあらわした。

「真打《しんう》ち登場だぜ！」ナルトの声が谺《こだま》した。「こいつらにビッと仁義《じんぎ》を切ってやってくれよ！」

「売られたケンカだ」影のなかから声が朗々《ろうろう》と響《ひび》きわたる。「しきたりどおりにいきゃあ、泥面子《どろめんつ》は省《はぶ》かせてもらうところよ。しかし、あんさんたちとはむかしの因縁《いんねん》もある。荒面《あらめん》子《つ》だけはとおさせてもらいやしょう」

あらわれたのは、先の二匹よりはすこし小ぶりだが、眼光もするどい黒鼠《くろねずみ》。帽子を斜《はす》にかぶり、腹巻をした怪物鼠だ。

「よっ！　トラさん！」その怪物鼠の頭の上でナルトが叫ぶ。「しびれるー！」

「おひけえなすって！」怪物鼠は足を広げ、グッと腰をおとし、片手を差し出す。「さしつけました仁義、失礼でござんす。手前、生まれも育ちも封天山《ふうてんざん》。奇妙奇天烈《きみょうきてれつ》な縁《えん》を持ちまして、たったひとりの弟子、このナルト少年のために商売《バイ》に励《はげ》んでおります。姓はありませんが、故《ゆえ》あって封天鼠《ふうてんそ》大師《だいし》と名乗っております。名はトラヂ。人呼んで封天のトラと発《はっ》します」

一陣《いちじん》の風が吹きつけ、わだかまっていた白煙がすっかり散らされてしまうと、そこには三匹の口寄《くちよ》せ獣《じゅう》がおたがいに目を光らせていた。

「封天鼠大師様、おひさしぶりでございます」まず、迦楼羅《かるら》が呼びかけた。「お元気でしたか?」

「ああ、けっこう、けっこう、コケッコッコー」と、トラが応じる。「お前は元気にしてたかい、迦楼羅《かるら》?」

「喉《のど》の調子もすこぶるいいようです」

「そりゃあ、けっこう毛だらけ、鼠《ねずみ》灰だらけ、お前のケツは羽毛《はね》だらけだな」

「ありがとう存じます」

「ケッ! てめーはいっつも前置きが長《なげ》ぇんだよ、バカ」と、つぎは蜈蚣丸《ごこうまる》が毒バサミを広げながら。「溶かすぞ、こら」

「バカとはなんだ、バカとは」トラがやりかえす。「てめーのほうこそ、ジジイのふんどしでもあるまいに、ひょろひょろ無駄《むだ》に長くなりやがって」

「てめー、今日こそ殺す!」

「バカだねぇ、お前は」

「なんだと、こら……」

「大昔より鶏《とり》は百足を喰らい、百足は鼠を刺し、鼠は鶏の卵を盗むもんだって相場が決まってんだよ、このウスラトンカチ。これを三すくみって言うんだ」トラは手にさげていたトランクを開き、なかから匕首《ドス》をとり出す。「そんなことも知らないバカは佃煮《つくだに》にでもなって、迦楼羅《かるら》に食ってもらえ」

「ぶっ殺す！」

鎌首《かまくび》をもたげるや、毒バサミを広げた蜈蚣丸《ごこうまる》が槍《やり》のようにトラにおどりかかった。

トラは地を蹴《け》って跳《と》び上《あ》がり、蜈蚣丸《ごこうまる》の頭に匕首《ドス》を突き立てる。

ガキンッ！　という音がして、トラの匕首《ドス》がボキッと折れた。

「あれま！」

「そんなもんがこの蜈蚣丸《ごこうまる》様に効《き》くか！」

そこへ迦楼羅《かるら》が翼を広げて割って入り、トラを切《き》り裂《さ》こうとする蜈蚣丸《ごこうまる》の毒バサミをさえぎる。

「迦楼羅《かるら》の羽毛《はね》は鋼鉄よりも硬い」と、ツユ。「そんな毒じゃ効かないわ！」

「落ち着け、蜈蚣丸《ごこうまる》」と、レンゲ。「三者の力は互角。いまは迦楼羅《かるら》がトラの味方をして

るんだぞ」

「オレ様に指図《さしず》すんな！」

「トラさん、大丈夫か!?」と、ナルト。

「早寝、早グソ、芸のうちってね」素早くトランクから新しい匕首《ドス》を出すトラ。「先手必勝と思ったけど、百足野郎の頭はカチカチのコンコンチキだ」

トラ、迦楼羅《かるら》、蜈蚣丸《ごこうまる》は同時にうしろに跳んだ。

おたがいに距離をとって、間合いを読む。

「驚き、桃の木、山椒《さんしょ》の木。ブリキにタヌキに交換日記」トラはレンゲをにらみつけながら、ナルトに呼びかける。「おい、少年、お前のお友だちのあの胸の呪印《じゅいん》……ありゃ、走火入魔《かにゅうま》した徴《しるし》じゃねェのかい？」

「トラさん、知ってんの？」

「あたりきしゃりきよ。この世の津々浦々《つつうらうら》まで旅を打ってきたこのトラヂに知らねェもんはねェぞ」

「なんなの、あの呪印？」

「魔界と契約を結んだ徴さ。契約を結んだ者のチャクラは、すこしずつ魔界のエネルギー

にとってかわられるんだ」と、トラ。「そういやぁ、前に西国《さいごく》のほうを旅してたときに聞いたな。人間が沙羅双樹《さらそうじゅ》という化け物と契約を結ぼうとしてるって」

「サラソウジュ？」

「オレもまだ見たことはないけどな。だけど、なんでも山をも動かす、それはそれはでっけー化け物だそうだ」

「！」

「どうした、少年？」

ナルトはすこし迷ってから、服をたくし上げて、背中をトラに見せた。

トラが目を見張った。

「レンゲは……」ナルトは言った。「オレの心んなかに混沌《こんとん》があるから……だから、この呪印がつけられたって言ってた」

「おい、少年……」トラが苦しそうにつぶやいた。「こりゃ、ちょいとばかり厄介《やっかい》なことになりそうだぞ」

5

地に墜《お》ちたニカクとクヌギは、おたがいに一歩もひかず、太刀《たち》を浴びせ合った。

その気迫におされて、シマはふたりに近づくことすらできない。

クヌギの体には、無数の刃傷《にんじょう》が走っている。

満身創痍《まんしんそうい》のニカクは、鬼そのものだった。

と、にわかにクヌギの攻撃が甘くなった。

「！」

打ちこんだニカクの大太刀《おおだち》をふせぎながら、クヌギは顔をしかめ、そして血を吐《は》いた。

「クヌギ！」

クヌギが跳《と》びすさる。

両者はにらみ合ったまま、肩で息をした。

「どうやら、時間がなくなったようだ」口の血をぬぐいながら、クヌギが言った。「そろそろ諦《あきら》めちゃくれないか、ニカク？」

「クヌギ、あなた、体が……」

「ああ、かいだんを錬成《れんせい》するときに、自分の体で実験をしたからな……」

「！」

「もう、ボロボロだよ」

「わたくしといっしょに傓《しゅく》へ帰りましょう！」

「傓《しゅく》へ帰れば、オレは死罪だ」

「いまさら命が惜《お》しくなったのですか？　それなら、傓《しゅく》の医療技術のほうが混《こん》より……」

「ああ、命は惜しい」クヌギが笑ってさえぎる。「それに、死ぬのは怖《こわ》い。それが自然だ」

「……」

「だけど、オレが死んでも、オレの意志を受《う》け継《つ》ぐ者はもうちゃんといる」

「息子のレンゲですか？」

「ああ」

「もう倒されてるかもしれませんよ」

「だとしたら、意志はそのつぎの者に受け継がれる」

ニカクの眉間《みけん》にしわが寄る。

「オレが復活させた禁術は愚公移山《ぐこういざん》じゃない」

そう言って、クヌギは着物の袖《そで》をめくり、二の腕を出した。

ニカクがそこに見たもの、それは、まるで羅針盤《らしんばん》のような真っ赤な呪印《じゅいん》だった。

「これが、オレが復活させた禁術だ」クヌギが言った。「好むと好まざるとにかかわらず、混沌《こんとん》の意志はこの呪印を体に刻《きざ》みつけた者に受け継がれてゆく」

「……」

「もう一度だけ言う。諦めちゃくれないか、ニカク」

返事のかわりに、ニカクは大太刀を横ざまに構《かま》えた。

「やれやれ」クヌギがため息をついた。「どうやら、儵《しゅく》は滅《ほろ》ぶしかないようだな」

6

グンッとのびてきた蜈蚣丸《ごこうまる》がその毒バサミで捉《とら》えたのは——トラの残像。

「迦楼羅《かるら》、花夜叉《はなやしゃ》！」ツユが叫ぶ。

迦楼羅《かるら》が翼《つばさ》をひとふりすると、ごうっと巻き起こった旋風《つむじかぜ》のなかに羽毛《はね》が散り、それが

百万の刃物のように蜈蚣丸《ごこうまる》を襲《おそ》う。

蜈蚣丸《ごこうまる》はとっさに体をとぐろに巻いてふせぐ。

が、そのとぐろの真ん中の空洞に、今度は地面の下から、匕首《ドス》をふりかざしたトラが飛び出してくる。

「こうなりゃヤケのヤンパチ、日焼けのナスビだ!」

トラは蜈蚣丸《ごこうまる》の腹に深々と匕首《ドス》を突き立て、ふんっ、という気合いとともに、縦一文字《たていちもんじ》に切《き》り裂《さ》く。

「ぐああ!」蜈蚣丸《ごこうまる》がたまらずにうめき声を上げた。「おのれ、ドブ鼠《ねずみ》めっ!」

チキチキチキチキ!

切り開かれた蜈蚣丸《ごこうまる》の腹から無数の小百足《こむかで》があふれ出し、まるで大波のようにトラを呑《の》みこんだ。

「迅風覇斬《じんぷうはざん》!」

ナルトが発動した術に、小百足たちがいっぺんに吹き飛ぶ。

が、蜈蚣丸《ごこうまる》には効《き》かない。

体勢を立てなおした蜈蚣丸《ごこうまる》が、毒バサミを大きく広げて突進してくる。迦楼羅《かるら》が羽毛《はね》の

刃《やいば》を飛ばしてくれなかったら、トラも危ないところだった。

勢いあまった蜈蚣丸《ごこうまる》は地面に激突し、そのせいでえぐられた土や岩が宙に舞う。

もうもうと立ちこめる砂塵《さじん》が、ナルトの視界を奪《うば》った。

「気をつけてください、封天鼠様《ふうてんそ》！」

迦楼羅《かるら》の声を突き破るようにして、蜈蚣丸《ごこうまる》が岩を砕《くだ》いて突進してくる。

「！」

毒のよだれをたなびかせたハサミは、トラではなく、ナルトを狙《ねら》っている。

ナルトはとっさに蜈蚣丸《ごこうまる》の目にクナイをぶつけたが、レンゲのほうも口から火を噴《ふ》いてトラを焼く。

「ぐああ！　目が……オレ様の目がぁ！」

そのせいで蜈蚣丸《ごこうまる》の狙いがずれ、毒バサミがトラの脇腹《わきばら》をえぐった。

「よくやった、蜈蚣丸《ごこうまる》」と、レンゲの静かな声。

「この借りはキッチリかえしてもらうからな、レンゲ！」

蜈蚣丸《ごこうまる》は長い体をよじってわめき、どろんっ、と煙と化す。

「トラさん、大丈夫か!?」ナルトがわめく。

「こんなもん、平気、へっちゃら、屁《へ》の河童《かっぱ》よ。カエルのしょんべんでもつけときゃ、じきに治るさ」トラの額《ひたい》から脂汗《あぶらあせ》が流れる。息も荒い。「それより、少年……あのレンゲってお友だちな、ケツに卵の殻《から》くっつけたひよっ子だからって、甘く見ちゃいけねェよ」

「もういい、トラさん、しゃべるな……」

「お前の背中の呪印《じゅいん》と、あいつの胸の呪印は呼び合ってる」

「……」

「つまり、あいつが死んだら、お前があいつにならなきゃならないってことだ」

「どういう意味だよ、それ……?」

「もうどうにもならねェって意味さ」トラが言った。「へへへ……顔で笑って心で泣いてってなもんだ。そこが渡世人《とせいにん》のつれえところよ。この封天のトラでも歯が立たねェや」

そう言うなり、トラも、どろんっ、と消える。

「迦楼羅《かるら》、ありがとう」ツユが言う。「あんたも帰りなさい」

「あのレンゲという男、わたしが始末しましょうか?」

「迦楼羅《かるら》はやさしいね。でも、自分たちでなんとかするわ」

「わかりました。それでは、お気をつけて、ツユ様」

迦楼羅《かるら》の体がはじけ、白煙だけが残る。

とり残されたナルト、ツユ、レンゲの三人は、おたがいを牽制《けんせい》しながら、すっくと立ち上がった。

7

木陰《こかげ》からニカクとクヌギの戦いを見ていたシマは、なにがなんだか、わけがわからなかった。

が、わけがわかっていないのは、ニカクもおなじだった。

「クヌギ……なにを!?」

「若い世代はオレたちよりずっと醒《さ》めてるぞ、ニカク」クヌギは自分の首筋に剣を押しあてていた。「レンゲは傀《しゅく》を滅《ほろ》ぼすつもりだ」

「！」

「傀《しゅく》に帰っても死罪、お前に負けても殺されるし、たとえお前に勝ったとしても、この体はもう長くもたない。どうせ死ぬんなら、こういう最期《さいご》も悪くないかもな」

ニカクは声を失った。

「まあ、死ぬ前に、息子と会えてよかったよ」

「なぜです？　なぜレンゲさんをこんなことに巻きこんだんですか！」

「巻きこんだんじゃない。あいつの心にも混沌《こんとん》があったんだ……しかも、とてつもなくでかいやつがな」

「レンゲさんになにをしたんですか？」

「なにも」

「なにも？」

「オレが復活させた呪印《じゅいん》をあいつに送りつけただけだ」

「呪印を送りつけた？」

「だが、その呪印にあいつの心がどう反応するかは、オレにもわからなかった。もしかしたら、なにも反応しないかもしれない。それはそれで幸せなことだ。もしあいつの心に混《こん》沌《とん》がなければ、何事も起こらなかったはずだ」

「つまり、あなたは自分の息子を混沌《こんとん》に引きずりこんだのですか？」

「心の呪印は呼び合う。この父にしてこの子あり、というところだな」クヌギの表情がふ

とゆるむ。「なあ、ニカク……子供のころは、毎日が楽しかったな」

「………」

「オレとお前とライトは、いつもいっしょだった。アカデミーもいっしょに卒業して、真《ま》昼《ひる》カエンが先生になってくれて、修業もいっしょにやった。戦《いくさ》ではじめて人を殺したときも、いっしょだった」

「クヌギ……」

「人の命を奪《うば》えば、もう昨日《きのう》までの自分にはもどれない」

ニカクは目を伏《ふ》せた。

「平和なんて、ただの大義名分《たいぎめいぶん》だ。そのためにオレたちは人を殺し、憎しみの種をそこらじゅうに蒔《ま》いてきた。その種はやがて芽吹き、差別や偏見という雨をもらい、ついに大きく育ってしまった」クヌギは言葉を切った。「オレはな、ニカク、オレなりに憎しみの芽を摘《つ》もうとしただけなんだ」

「レンゲさんは……」ニカクが口を開く。「どうやって儵《しゅく》を滅ぼすつもりなんですか？」

「すぐにわかるさ」クヌギは微笑《ほほえ》み、自分の首を斬《き》り落《お》とす前に言った。「さようならだ、ニカク」

8

「倏《しゅく》の三忍《さんにん》、ひさしぶりの手合わせか……」レンゲの声が静寂《しじま》を破った。「まあ、こんなものか」

「レンゲ……」ナルトの目つきは鋭い。「てめー、いったいなにたくらんでやがる!?」

「オレは父を信じてみようと決めただけさ」

「……」

「忍者の始祖《しそ》がだれだか知ってるか?」

「六道仙人《りくどうせんにん》よ」ツユが答える。「現在のすべての忍術は、六道仙人によって生み出されたとされているわ」

「六道仙人には伝説がたくさんある」レンゲが言った。「ナルト、オレもお前も、父親は戦死したものだと思ってきた。オレはそれがずっと理解できなかった。なぜ、オレにはほかの子供たちのように父がいない? まるで帰る家がないような感覚だ。宙ぶらりんで、どこにも居場所がなくて……だから、オレはもっと大きなものによりどころを求めた」

「もっと大きなもの……？」

「森羅万象《しんらばんしょう》に通じる真理だ」

「真理……」

「ある日、オレのもとに手紙が一通とどいた。送り主の名前はない。だけど、字を見たとたん、胸が焼けるように熱くなって呪印《じゅいん》が刻《きざ》まれた。あとでわかったんだが、その手紙はオレの持つ希望や恐れのイメージにすぎなかったんだ」

「イメージ……」ナルトがひとり言のようにつぶやく。

「そうだ。心を捕《とら》えているものが形になってあらわれたんだ。オレの場合は手紙だった。それは蛇《へび》かもしれないし、蟲《むし》かもしれないし、刀かもしれない。なんでもありえる。もし心のなかになにもなければ、なにもあらわれない。お前の体に呪印を刻みつけたものがなんなのかオレにはわからないが、それはお前の心が生み出したものなんだ。お前の心のなかに棲《す》んでいたものなんだよ、ナルト」

レンゲの部屋で襲《おそ》ってきた大百足《おおむかで》……

ナルトは考えた。

つまり、あの大百足はオレ自身の心が創《つく》り出《だ》したものってことか？　どうりでなんのチ

ャクラも感じられなかったはずだ——

「オレの心が生み出した手紙には、六道仙人の伝説が書かれていた」レンゲは先をつづけた。「仙人はそのむかし……まだ仙人でもなんでもないころのことだ。ある先生のもとで修業をしていた。その先生には弟子が三人いた。三人の弟子は先生といっしょに、何十年もかけて仙丹《せんたん》を錬成《れんせい》しようとしていた。それを服《の》めば、たちまち羽化登仙《うかとうせん》して仙人になれるという秘薬だ。ある日、とうとう仙丹が完成した。みんな、大よろこびして、それを服んだ。先生が言った『あとは断崖《だんがい》絶壁から跳《と》べば、雲にのって仙人になれるはずだ』。そこで、先生が真っ先に崖《がけ》から跳んだ。先生は真《ま》っ逆《さか》さまに墜落して、岩にぶつかって体がバラバラになった。それを見ていた弟子たちは、すっかり怖気《おじけ》づいてしまった。ふたりは『やっぱり仙丹なんかつくれないんだ』と言って、その場を立ち去った。だけど、六道仙人は残った。岩の上にこびりついた先生の血を見下ろしながら、それでも先生を信じようと思った。で、六道仙人は崖から跳んだ。すると、どうなったと思う？」

ナルトとツユは口を閉じていた。

「六道仙人の体も岩にぶつかってバラバラになった」

「……」

「だけど、バラバラになった自分の体を、六道仙人は雲の上から先生といっしょに眺めていたんだ」レンゲが言った。「そう、ふたりはちゃんと仙人になれたんだよ」

「なにが言いてーんだよ？」

「新しい体を手に入れるためには、古い体を破壊しなければならない……それが、オレがたどりついた真理だ」

「つまり」ツユの目に怒気《どき》がこもる。「レンゲ……あんたはやっぱり、儵《しゅく》を滅《ほろ》ぼそうとしているのね」

「オレの意志は関係ない」と、レンゲ。「儵《しゅく》は滅びる運命なんだ」

「これまでだな」ナルトがクナイを抜く。「もう、儵《しゅく》の三忍でもなんでもねェ……」

レンゲの胸の呪印が青白く輝き出したのは、そのときだった。

ナルトとツユはそれを見て驚いたが、一番驚いたのは、レンゲ自身だった。

目を見開いたレンゲは、しばらく呆然《ぼうぜん》と自分の胸を見つめた。

「………っ！」

ナルトは脂汗《あぶらあせ》を流しながら、地面に片膝《かたひざ》をついた。

「どうしたの、ナルト？」

ツユにそう尋《たず》ねられても、返事ができない。

背中が焼けるように熱い。

「レンゲ!?」

上目遣《うわめづか》いに、ツユの声を追う。ナルトがそこに見たものは、すこしずつ透《す》けていくレンゲの体だった。

「この呪印が発動したということは、カオスが死んだということだ」

「!」

「さっきも言ったが、この呪印はトンネルなんだ。オレとお前、そしてこの呪印を持つ者すべてをつないでいる……愚公移山《ぐこういざん》はこのトンネルのなかで永遠に受《う》け継《つ》がれてゆく。これこそがオレの父が復活させた禁術なんだよ、ナルト」

「わけわかんねェこと言うなっ!」

我《われ》にかえったナルトがクナイでレンゲを切りつける。

レンゲは動かない。

が、ナルトのクナイはレンゲの体を虚《むな》しく素どおりし、空《くう》を切った。

「時間だ」レンゲの体が薄く、薄く透明になっていく。「オレはカオスになる」

「ざけんな、この野郎！」

ナルトは背中の熱さも忘れて、何度も何度もクナイをふりまわした。

「この世の終わりがはじまる……」

あとには、声だけが残った。

9

シマは一部始終を樹の陰《かげ》から見ていた。

いったいなにが起こったのだろう？

ニカクとカオス様がなにかを話していたと思ったら、カオス様が自分で頭を斬《き》り落《お》としてしまった！

首と胴体が離れたカオスの死体を、ニカクはいつまでも見下ろしていた。

シマは出ていって声をかけようかと考えたが、なにをどう言っていいのか、さっぱりわからない。

だから、じっと樹の陰からニカクを見守っていたのだ。

やがて、ニカクは死体に背をむけて、地面に落ちている瓢簞《ひょうたん》をひろい上げた。

首のない死体がむっくりと起き上がったのは、そのときだった。

「！」

ニカクは気がつかない。

シマは叫ぼうとしたが、体が動かなかった。

そして、シマが見ている目の前で、死体がニカクの体を剣で突き刺した。

「ニカク！」

駆けだそうとするシマの足が、まるで地面の下から足首でも摑《つか》まれたみたいに、ふと止まった。

「………？」

ふりかえると、鳥たちが百亀山《ひゃっきざん》の上を狂ったように旋回《せんかい》している。

シマは目をこすった。

百亀山がほんのすこし、持ち上がったように見えた。

10

「！」

クヌギの剣の切っ先が、ニカクの胸を突き破って飛び出していた。

「いったい、なにが……」

口から血を流しながら、ふりかえる。ニカクがそこに見たもの、それは首のないクヌギの体――青白く光っているその体が、自分の背中に剣を突き立てていた。

クヌギの首の断面から、手が一本、にゅっと出てくる。

「……！」

手はどんどんのび、肘《ひじ》、つづいて肩があらわれる。

そして、ついに頭が出てきた。

「あなたは……」ニカクは血といっしょに言葉を吐《は》き出《だ》す。「レンゲさん……？」

脱皮するように、レンゲはクヌギの体を脱《ぬ》ぎすてた。

クヌギの体が、まるで空気がしぼむように崩《くず》れ落《お》ちる。

背中から胸までを刺《さ》し貫《つらぬ》かれたニカクは、どうにか持ちこたえていた。

「お前か？　カオスの首を刎《は》ねたのは」

「カオスではない」ニカクは息も絶《た》え絶《だ》えだった。「その人は、お前の……父親……」

「まあ、いい」レンゲが言った。「混沌《こんとん》の意志はオレに受《う》け継《つ》がれた。これからは、オレがカオスだ」

「なにを言っている？」

「その傷じゃあ、お前はもうじき死ぬ」

「そして、お前のせいで儵《しゅく》が滅《ほろ》びる」

「……」

ニカクは目をすがめた。

「せめて、理由《わけ》くらい、教えてやろう」レンゲはすこし考えてから、口を開いた。「沌《とん》が完成させた愚公移山《ぐこういざん》は、カオスのなかに封じこめられていた。そして、カオスが死んだとき、発動するように術式が組まれていたんだ」

見ろ、と言ってレンゲが指さす。

その指の先に目をむけると、ゆっくりと盛り上がる百亀山《ひゃっきざん》があった。

「！」

「カオスの死によって禁術が発動した」レンゲは言った。「もう、だれにも止められない。百亀山が絛《しゆく》の里を押しつぶしたあと、愚公移山《ぐこういざん》はオレのなかへと封じられる。オレが死ねば、愚公移山《ぐこういざん》はまた発動し、つぎの里を消滅させ、また混沌《こんとん》の心を持つ者に受け継がれるんだ」

レンゲはきびすをかえして、混《こん》の里へと歩き去った。

ニカクが倒れると、大地がその体を受け止めた。

「これまでか……思えば、失敗ばかりの人生だったな……」

闇《やみ》のなかへと沈んでいくニカクの前に、あの夏の日のライトとクヌギがあらわれる。カエン様もにこやかに微笑《わら》っている。

「先生……」

――よくがんばったな、ニカク。先生はお前のことを誇りに思うぞ……

ニカクの頰《ほお》を、一筋《ひとすじ》の涙が流れ落ちた。

――ニカク、先生がアイスおごってくれるってよ！

――たのむから耳元で怒鳴《どな》らないでくれよ、ライト……

「ライト……クヌギ……ぼく、ぼく……」

意識が遠のく。

真昼《まひる》カエン様を先頭に、ライトとクヌギはアイスキャンディを食べながら、どんどん歩いていく。

——おいてっちゃうぞ、ニカク！

「みんな……ぼく……まだ、いけないよ」

三人は足を止め、ニカクをふりかえる。

カッと目をむくや、ニカクは最後の力をふりしぼって立ち上がり、瓢簞《ひょうたん》を摑《つか》んでその口になにかをささやきかけた。

それから、渾身《こんしん》の力で瓢簞を空へ放り上げる。

瓢簞は西の空へ一直線に飛んでゆく。ゆっくりと移動をはじめた百亀山へ——

ズシンッ、と地面に倒れるニカク。

——いくぞ、ニカク！

——待ってよ……

走ってみんなに追いつくと、カエン様がニカクの頭をごしごし撫《な》でてくれた。

ニカクは瞼《まぶた》をそっと閉じた。

息絶《いきた》える前に鬼駒《おにこま》ニカクが見たもの、それはずっと、ずっと心にしまっていた、少年の日の夕焼け――

11

レンゲの体は、風に吹かれたロウソクの炎のように――消えた。
ナルトとツユは、なす術《すべ》もなく、森のなかの空地《あきち》に立ちつくした。
ゴォ、ゴォ、ゴォ、ゴォ、ゴォ……
異変はすぐに襲《おそ》ってきた。
「なに、この音……？」
ナルトも四方に目を走らせる。
ゴォ、ゴォ、ゴォ、ゴォ、ゴォ……
地鳴りのような音は、どんどん大きくなっていく。
森がざわめき、樹々から鳥がいっせいに飛び立つ。

ナルトとツユの足のあいだを、小さな動物たちが走り抜けてゆく。

ゴォ、ゴォ、ゴォ、ゴォ……

大地がぐらぐらゆれだした。

ゆれはどんどん大きくなり、ついにナルトとツユを地面に押し倒した。

「ツユ！」尻餅《しりもち》をついたナルトが叫ぶ。「大丈夫か!?」

「地震!?」

「わかんねェ！　とにかく、急いで山を下りるぞ！」

そう言って立ち上がったナルトだが、ハッと気がついてツユにクナイを投げつけた。

ツユは動けない。

クナイはツユの髪をかすめ、背後から飛びかかろうとしていた混《こん》の忍《しのび》にドスッと突き刺さった。

いつの間にか、蟲《むし》のように地面に這《は》いつくばった忍たちが、すぐそこまで迫《せま》っていた。

「やめろ！」ナルトが怒鳴《どな》った。「いまはこんなことをしてる場合じゃねェ！」

が、忍たちの耳には、まるでとどいていないようだった。血走った目をらんらんと輝かせ、血に飢《う》えた牙《きば》をむき出しにして笑っている。

「かいいだんのせいよ！　レンゲがいなくなって、抑《おさ》えがきかなくなってるんだわ！」

どうやら、ツユの言うとおりだった。

忍たちがじりじりと間合いを詰《つ》めてくる。

ナルトはすかさず地面に煙玉《けむりだま》をたたきつけ、ツユの手を引いて森のなかへ逃げこんだ。

ぐらぐらする樹から樹へと跳《と》びうつり、追っ手をまく。

ツユの投げた手裏剣《しゅりけん》で、敵のひとりが樹から落ちた。

「分身の術！」

爆音とともに、ナルトの分身が勢いよく飛び出す。

分身たちが追っ手を足止めしている隙《すき》に、ナルトとツユは枝から枝へと跳びうつり、山をどんどん下りていった。

と、なにかが追いかけてきていることに気づく。

新手《あらて》かっ！

そう思ってふりかえったナルトの目に、見覚えのある瓢箪《ひょうたん》が映った。瓢箪はナルトとならんで飛んでいた。

「それ、ニカクさんの瓢箪よ！」

ナルトが手をのばすと、瓢箪のほうから捕《つか》まりにきた。

「瓢箪のなかから声がする！」

ナルトはツユにそう言い、瓢箪の口に耳を近づけた。

「！」

「どうしたの、ナルト？　瓢箪はなんて言ってるの？」

「ほんとにカオスが死んだみてーだ……」

「え？」ツユの顔から表情が消える。「でも、なんで？」

「わかんねェ……けど……ニカクのおっちゃんは愚公移山《ぐこういざん》が発動されたって言ってる」

「………」

「百亀山《ひゃっきざん》は儵《しゅく》の里へむかっているって……」

「そんな！」ツユがわめく。「なんでそんなことになったの!?」

耳に残るニカクの声。

カオスが死に、愚公移山はレンゲに受け継がれた。これこそが、カオスが復活させた禁術。レンゲが死ねば、混沌の心を持つ者に受け継がれてゆく——

ナルトのなかで、カチリとなにかが噛《か》み合《あ》った。

その瞬間、すべてがつながった。

自分の背中の呪印《じゅいん》、それと寸分《すんぶん》たがわぬレンゲの胸の呪印、レンゲの言葉——お前はオ、、、、レ、、、、、、、、、、には勝てない。

ナルトは奥歯をギリリッと噛みしめた。あれは、もしオレがレンゲに勝ったとしても、つぎはオレがカオスになっちまうことを意味してたんだ！

「レンゲはカオスになった」

ツユの顔に疑問符が浮かぶ。

「いまは説明してる暇《ひま》はねェ！　とにかく、里に報《しら》せるぞ！」

第五章
諦めない心

1

たしかに、ここが百亀山《ひゃっきざん》の麓《ふもと》にちがいない。ぐらぐらゆれる長い山道を、どうにかここまで降りてきたのだ。

ナルトとツユは足を止めた。

道が寸断されている。

ふたりの前に切り立った絶壁があらわれた。

「ど、どうなってんだ……」

「ナルト！」崖《がけ》っぷちに腹ばいになって、下をのぞきこんだツユが叫ぶ。「山の下になにかいる！　なにかが山を背中にのせて歩いてる！」

ナルトには、なにがなんだか、わからなかった。ゆれる崖っぷちから見下ろすと、五十メートルほど下に地面が見えた。

とにかく、この山から脱出しなくてはならない。

そこで、クナイにロープをとおして、ゆらゆらゆれ動く樹の幹に巻きつけた。

「いくぞ、ツユ！」

ナルトはそのロープを伝って、崖を降りた。

ツユもあとにつづく。

「！」

ロープにぶら下がったふたりが目にしたもの――鰐《わに》のようでもあり、鷲《わし》のようでもあり、牛のようでもあり、獅子《しし》のようでもあり、麒麟《きりん》のようでもある。三匹とも雪のように真っ白で、そいつが百亀山を背中にのせて……

「本で見たことある！」ツユが叫ぶ。「これは西の国にいる象《ぞう》という動物よ！」

その巨大な三頭の白象《びゃくぞう》は、たしかに百亀山を背にのせて、地響《じひび》きを轟《とどろ》かせながら歩いていた。

三角形の布陣《ふじん》をとっている。

よく見ると、三頭とも目がない。

ナルトは固唾《かたず》を呑《の》んだ。「これが愚公移山《ぐこういざん》かよ……」

「ナルト！　こいつら、たしかに里へむかってる！」

我《われ》にかえったナルトはロープを伝って地面に降り立った。

すぐにツユも飛び降りてくる。

「こいつら、目がない……」

「ツユ、お前は先に里へ帰ってみんなを避難させろ！」

「こんなの……こんなの、無理よ……」放心したツユがつぶやく。「目がないのに、どうして里の位置がわかるの……？」

「しっかりしろ、ツユ！」ナルトはツユの肩を摑《つか》んでゆさぶった。「いまは、そんなことはどうでもいい！　こいつらはまちがいなく里にむかってるんだ！」

「でも、でも……」ツユの目から涙があふれる。「こんなの……あたしたちの手には負《お》えない……」

「諦《あきら》めんな！」

パシッ！

ナルトはツユの頰《ほお》を張った。

ツユが目をしばたたかせた。

「オレらは任務に失敗した」

「……」

「レンゲを里へ連れ帰れなかった」ナルトは奥歯を嚙《か》みしめた。「ごめんな、ツユ……オレは約束を破っちまった。レンゲを守れなかった」

ツユが首をふる。

「この前、オレにとって忍《しのび》はなんだって訊《き》いたな？　あのときはなんと答えていいのかわからなかったけど、いまなら答えられる」

ツユはナルトの言葉を待った。

「忍ってのは、やっぱ、忍《しの》び堪《た》える者なんだ」そう言って、ナルトはニカッと笑った。「二代目様がそれをオレの親父《おやじ》に教え、いま、この瞬間、オレに伝わったんだ」

「忍び堪える者……」

「オレは任務に失敗した。お前との約束も守れなかった。それでも、オレらはじっと忍び堪えていかなきゃなんねェ。だって、自分のこともちこたえられねェやつが、里のみんなを守れるわけがねェ。そうだろ？」

ツユが涙目を上げる。

「レンゲは、これからオレが試されると言った。冗談じゃねェや、こんなとこで負けてたまるかよ……里を守ること。それがすべての任務の目的なんだ。里を守ること。それがす

べての約束に優先する。いまは自分のことなんかあとまわしだ。だからこそ、オレら忍は忍び堪える者なんだよ。受《う》け継《つ》がれてゆくものには、ちゃんと受け継がれてゆくだけの理由があるんだ」

「……うん」

「いつものツユはどこいったんだよ。オレはこんな弱虫を好きになった覚えはねェぞ」

ナルトがそう言うと、ツユが泣きながら笑った。

「よし、それでこそオレの知ってるツユだ……ラーメンのツユはいつだってあつあつが一番なんだよ」

「ナルトはどうするの?」

「なんとか、この化け物を止めてみる」

「わかった」

ナルトとツユは、ここで二手《ふたて》に分かれた。

2

大地をゆるがす象《ぞう》たちの足音を聞きながら、ナルトは自分の親指を噛《か》み切《き》り、その血で左右の頬《ほお》に三本ずつ線を引く。

それから、その手を地面に押しつけた。

「口寄《くちよ》せの術！」

白煙とともに、どろんっ、とあらわれたのは――

「こら、ナルト！　おまん、トラになんちゅーことをしてくれたがや!?」

「まあ、まあ、かあちゃん、おっこう《大げさ》なことを言うなや。トラも自分が油断した言うつろーが」

「おとうちゃんは黙っとき！」

「魅麒《みき》兄《にい》やん！」ナルトは自分の頭の上にのった夫婦《めおと》鼠《ねずみ》を上目《うわめ》遣《づか》いで見上げた。「魅尼《みに》姐《ねえ》やん！」

「トラからだいたいのことは聞いちゅーきに」迫《せま》りくる白象《びゃくぞう》を見わたしながら、魅麒《みき》が言った。「おう、黒船じゃ黒船じゃ！」

「こら、ナルト！」と、魅尼《みに》。「トラはいまでも寝床《ねどこ》でうんうん言いゆうぜよ」

「こりゃまた、まっことでかい怪物じゃのォ……山を積んで歩きゆう。これが噂《うわさ》に聞く、

西方《せいほう》の沙羅双樹《さらそうじゅ》かや」

「魅尼《みに》姐やん、これが片づいたらトラさんの見舞いにいきますから」と、ナルト。「けど、いまはちょっと力を貸してください！」

「女の言うことじゃきに、気にすんなや」魅麒《みき》が助け舟を出す。「こいつはガキのころからトラを知っちゅーきに、甘やかしちゅーがぜよ。トラのやつがあんな、なんちゃじゃな《くだらな》い根無し草《い》になてしもーたのも、もとはと言えばこいつのせいぜよ」

「女をなめたら……なめたらいかんぜよ！」魅尼《みに》がくわっと目をむいた。「うちはトラがつづのうて《気にかかって》、つづのうて……」

「大丈夫じゃ、ナルト。あれくらいでトラはちゃがまらんきに《ダメにならない》」

「かたじけないです、魅麒《みき》兄やん」ナルトが頭をぺこぺこ下げる。「魅尼《みに》姐やん……今度、姐やんの大好物のチーズを持って挨拶《あいさつ》にいきますから……どうか、お願いします！」

「チッ、おぼこい《子供っぽい》ことを言うてからに」魅尼《みに》の目が象たちに飛ぶ。「けんど、西方の沙羅双樹が象やったら、ナルト、うちらを呼んだのは正解ぜよ」

「むかしっから、象は鼠に弱いと相場が決まっちゅーろ？　鼻をかじられるきに」魅麒《みき》が話を継《つ》ぐ。「けんど、どういたもんでェ《どうしたことだ》。沙羅双樹ゆーたら、あの世に生《は》えとる樹のこと

じゃろ？　二本で一組のはずじゃが、象は三頭おるのォ」

「なんちゃじゃないことを言いなや。ナルトも、もう仙人《せんにん》モード全開ぜよ」魅尼《みに》が言った。

「すっとやって、ちゃっちゃと帰るちゃ」

「よろしくお願いします」ナルトが言った。「封天鼠《ふうてんそ》仙人様ご両人」

いまやナルトの耳は長くなり、前歯がのびて、長い尻尾《しっぽ》まで生えている。

ズシン！　ズシン！　と、百亀山《ひゃっきざん》をかついだ象たちは地を踏みしめる。

頭の上に夫婦仙人をのせたナルトは、まっこうからそれにむき合った。

3

枝から枝へと跳《と》びうつりながら、ツユの心にはいろんなことが渦巻《うずま》いていた。ナルトのこと、レンゲのこと、ニカクのこと、里のこと――

そのせいで、気づくのが遅れた。

右肩に衝撃《しょうげき》を感じてふりかえると、真うしろに口を大きく開けた顔があった。

「！」

バランスを崩《くず》して、地面に落下する。

「首切蝨蟖《くびきりぎす》！」

その声を聞いたときには、ツユの体はもう三人の忍《しのび》に抱きつかれ、がんじがらめにされていた。

迦楼羅《かるら》を呼び出そうにも、手足の自由が利《き》かず、印《いん》が結べない。

左右の肩に同時に鋭い痛みを感じる。

咬《か》まれたのだとわかった。

右脚《みぎあし》にしがみついているやつは、いままさにギザギザの牙《きば》をむいている。

と、なにかがツユの両頬《りようほお》をかすめ、ふっと肩が軽くなった。

ツユは自由になった手で、脚にしがみついたやつを殴《なぐ》りつけ、渾身《こんしん》の力で蹴飛《けと》ばした。

「オラァ！」

パッとふりむくと、さっきまで自分の肩に咬みついていたふたりは、額《ひたい》にクナイが刺さった状態で死んでいた。

「ひさしぶりだな、ツユ」

ツユの視線が声のほうに飛ぶ。

大きな樹の上に、黒い人影がいくつもあった。

そのひとつが、ひらりと舞い降りてくる。

ツユは身構《みがま》えたが、相手が覆面《ふくめん》をとって顔を見せてくれた。

「ムエイ様！」

全身黒ずくめの柳生《やぎゅう》ムエイは、ゆったりとした足取りで近づいてきた。

「儵《しゅく》はなにかを摑《つか》んでおるのか、ツユ？」

ツユは倒れている混《こん》の忍たちを一瞥《いちべつ》してから、柳生ムエイにむきなおった。「禁術の愚《ぐ》公移山《こういざん》が発動されました」

「それは、わかっておる」

「それ以上はなにも……」ツユは目を伏《ふ》せた。レンゲの顔が見えた。「あたしたちにも……なにがなんだか……」

「この一件に儵《しゅく》はかかわっておるのか？」

ツユは答えない。

「忽《こつ》の里で奇妙な呪印《じゅいん》が発見された。真っ赤な羅《ら》針盤《しんばん》のような模様のな」

「！」

「しかも面妖《めんよう》なことに、だれもその呪印に近づくことができんのだ。わしらはその呪印が愚公移山《ぐこういざん》を導《みちび》く役割を果たしていると見ておる。もしその見立てが正しいとすれば、百亀《ひゃっき》山《ざん》がいま儵《しゅく》へむかっているのは、儵《しゅく》のどこかにもその羅針盤があるということだが、おぬし、なにか知らぬか?」

ツユは唇《くちびる》を噛《か》みしめた。

「まあ、よい」柳生ムエイがため息をつく。「わしらが調べたところでは、幸《さいわ》いにして、この禁術は一対一の契約《けいやく》じゃ。一度の契約では、一か所しか攻撃できん。百亀山が今回、忽《こつ》へむかうことはないじゃろう。が、愚公移山《ぐこういざん》が完成したとあっては、これから忍界《にんかい》の勢力図は大きく描きかえられるぞ」

「忽《こつ》は……忽《こつ》はなにを……?」

「隣国がそんな兵器を所有するのなら、忽《こつ》とてほかに道はあるまい」

「ダメです!」ツユは声を張り上げた。「そんなことをすれば、世界は……世界はとりかえしのつかないことになります」

「わかっておる」

「……」

「やがて、軍備拡張競争は人間の手に負《お》えなくなるであろう。しかし……」柳生ムエイは言った。「それが政治なのじゃ」

「そんな！」

「太古《たいこ》より、文明は大河のそばで栄えてきた。なぜだか、わかるか？」

「米をつくるのに、水がたくさん必要だからです」

「うむ」柳生ムエイがうなずく。「人間の食の問題は稲作が解決し、多くの者が食料の生産から解放された。解放されたこれらの人々は、いろんな職業を生業《なりわい》とした。大工、金物屋、火消し……そして、軍人だ」

「……」

「小さな集落に戦闘を職業にする者たちがあらわれ、軍人が強い村の発言権は大きくなる。河とともに暮らすかぎり、氾濫《はんらん》をふせぐために治水《ちすい》をせねばならぬ。しかし、治水はひとつの村でやってもダメだ。下流の村でいくら堤防をつくっても、上流の村で河が氾濫すれば、巻《ま》き添《ぞ》えを食う。治水は河に暮らす村々がいっぺんに、力を合わせて行わねばならん。しかし、各村にしてみれば、自分の村の分担をなるべく小さくしたい……ここに駆け引きが生じる」

「ムエイ様のおっしゃりたいことは……わかります」ツユが言った。「自分の村の分担を小さくするための駆け引き……それが、政治なんですね？」

「うむ。そして、駆け引きのときにものを言うのが武力なんじゃ」

ツユは拳《こぶし》を握《にぎ》りしめる。

「つまりな、ツユ」柳生ムエイが言った。「軍備拡張というのは、人類の文明が誕生したとき、必然的にはじまったんじゃよ」

「だからって……」ツユの声はふるえていた。「だからって……このまま流されてしまっていいんでしょうか？」

「どうしようもないんじゃよ」

「どうしようもなくない！」

ツユの剣幕《けんまく》に、柳生ムエイが目をすがめた。

「あたしも、あいつも……」ナルト、ナルト、ナルト……「ぜったいに諦《あきら》めません。道はあるはずです。それがなんなのかは、あたしたちにもわかりません。だけど、探すことをやめたら、そこで終わりです」

「若い……」

「そうかもしれません。だけど……だけど、答えは……」ツユは親指で自分の胸をドンッと指《さ》した。「ここにちゃんとあるんです」

4

「仙法《せんぽう》、黒死《こくし》無双《むそう》！」

夫婦《めおと》仙人《せんにん》が声を合わせてそう叫ぶや、地面の下から無数の鼠《ねずみ》がわき出てくる。

その鼠たちがいっせいに白象《びゃくぞう》たちにとりつき、体中をかじりはじめた。

一番前の象が鼻をふり、聞いたこともない雄叫《おたけ》びを上げ、後脚《うしろあし》で立つ。

百亀山《ひゃっきざん》がぐらりと傾いた。

「よし、足を止めたぜよ！」魅麒《みき》が叫ぶ。「ナルト、ごっついのを見舞《みま》うちゃれや！」

「仙法、彗星丸《すいせいがん》！」

ナルトの手の上にあらわれた彗星丸。その大きさたるや、優《ゆう》に流星丸《りゅうせいがん》の百倍はある。バチバチと青白い電光を散らしながら、竜巻《たつまき》のように渦《うず》を巻いている。

それを、ナルトは先頭の白象の腹にぶちこんでやった。

白象が悲鳴を上げ、ボンッ、とはじけて煙と消える。

百亀山の一角が轟音《ごうおん》を立てて地についた。

砂嵐のような砂塵《さじん》がナルトの視界を奪《うば》う。

「こら、ナルト！」魅尼《みに》の拳骨《げんこつ》がナルトの頭に落ちる。「なにを休みゆうがや!? まだ象は二頭おるぜよ！」

「そう言うなや、かあちゃん！ いくら仙人モードじゃゆーても、彗星丸はかなりのチャクラを消耗《しょうもう》するきに！」

「まだまだぁ！」

ナルトはつづけざまに彗星丸を練《ね》り出《だ》す。

体のなかのチャクラがグンッと減《へ》り、一瞬、頭がふらつく。

「大丈夫か!?」と、魅麒《みき》。「こんなん三発も打ったら、体がもたんぜよ！」

「うぉおおお！」

ナルトはうしろの白象におどりかかり、彗星丸をその頭にたたきこむ。

またしても白象は雲散霧消《うんさんむしょう》し、そいつが支《ささ》えていた山の一角が地に落ちた。

ナルトのてのひらには、すでに三発目の彗星丸が生まれている。

「ムチャじゃ、ナルト！」魅麒《みき》がわめいた。「つづけざまに三発も打ったら、おまん、死んでぬまうぜよ！」

「そうも言ってられません！」ナルトは腹に力をグッとためた。「儵《しゅく》はこのオレがぜってーに守ってみせる！」

「いけ、ナルト！」魅尼《みに》が吼《ほ》える。「心配すな！　骨はちゃんとひろうちゃるきに！」

手の上の光が大きくなるのと入れちがいに、体のなかから力が抜けていく。

「へへへ……魅麒兄《みきにい》やんの言うとおりみたいです」ナルトは最後の一頭を見すえた。「これで最後だ……」

ナルトは死力をふりしぼって、地を蹴《け》り、白象につっこんでいく。

「おらぁあああ！」

白象は鼻をふるが、ナルトは跳《と》び上《あ》がってそれをかわした。

「消えちまえ、化け物！」

彗星丸で白象の顎《あご》をすくい上げてやると、三頭目もたちまち煙と消えた。

「ようやった、ナルト！」

魅尼《みに》の声が遠くに聞こえた。

ズゥンッ、という地響《じひび》きを残して、百亀山《ひゃっきざん》が動きを止めた。

ナルトはそのまま地面に落下した。

目がかすむ。

もう、ほとんどチャクラは残ってない。

「やった……」

「西方《せいほう》の沙羅《さら》双樹《そうじゅ》も、たいしたことなかったのォ」と、魅麒《みき》。

「こら、ナルト」魅尼《みに》が言った。「チーズの件、忘れなや」

「へへ……へへへ」

ナルトが笑うと、仙人夫婦もつられて笑った。

大の字にひっくりかえったナルトの目に、かたむきかけた太陽が映《うつ》った。

鳥たちが騒がしい。

背中に感じる大地の温度、すこしずつ鎮《しず》まる砂埃《すなぼこり》、自分の心臓の音――

ゴォ、ゴォ、ゴォ、ゴォ、ゴォ……

「！」

まるで冷水を浴びせられたように、ナルトの背筋《せすじ》を悪寒《おかん》が駆け上がった。

大地がぐらぐらゆれだす。

ゴォ、ゴォ、ゴォ、ゴォ、ゴォ……

心臓が早鐘《はやがね》を打った。

ゴォ、ゴォ、ゴォ、ゴォ、ゴォ……

「どういたもんでェ……」魅尼《みに》のわななき声が耳にとどく。「いったい、どうなっちゅーがじゃ！」

立ち上がったナルトは、ゆっくりと盛り上がってゆく百亀山を見て愕然《がくぜん》とした。

「沙羅双樹っちゅーのは……そういうことか」魅麒《みき》が言った。「象どもには……どうやら双子《ふたご》の兄弟がおるがぜよ」

ズシン！

ズシン！

ふたたびあらわれた三頭の巨象は——まるで何事もなかったかのように山を背にのせ、一歩、また一歩と、足をくり出した。

5

ナルトの膝《ひざ》がガクリと折れ、地面に落ちた。

「こりゃ……げに手に負《て に お》えないんぜよ」

魅麒《みき》がそう言ったが、その声がひどく遠くに感じられる。

白象《びゃくぞう》は足を大地にめりこませながら、着実に倏《しゅく》の里へとむかっていく。

行く手を阻《はば》むものを、すべてなぎ倒しながら。

ズシン、ズシン、と足音を響《ひび》かせて。

樹が倒れ、家が踏みつぶされていく。人々が悲鳴を上げて、逃《に》げ惑《まど》う。

白象たちがとおったあとには、瓦礫《がれき》の山しか残らなかった。

こいつが沙羅双樹《さらそうじゅ》と呼ばれる理由《わけ》、それは一頭を倒しても、すぐにまたほかの象が呼び出されるから――

「ど、どうすりゃ……」ひざまずいたナルトの体が、ガタガタとふるえだす。「いったい……ちくしょう、どうすりゃいいんだ」

もうチャクラは残っていない。

混《こん》の忍《しのび》が遠巻きにこちらの様子をうかがっていたが、まばたきすら忘れたナルトの瞳《ひとみ》は、ゆっくりと目の前をとおりすぎてゆく三頭の白象に奪《うば》われていた。

なす術《すべ》がない。

頭のなかが、真っ白になっていく。

「なんの保証もできんが……」魅尼《みに》がナルトの前に立った。「方法はある」

「かあちゃん！」魅麒《みき》が怒鳴《どな》る。「それは言うなちや！」

「魅尼姐《みにねえ》やん……」ナルトは両手で魅尼《みに》をすくい上げた。「ほんとか……ほんとに象を止める方法があるのか？」

「おまん、気がついちょったがか？」魅尼《みに》が言った。「あの象どもには目がないがじゃ」

ナルトがうなずく。

「目がないのに、なんでまっすぐ儵《しゅく》へいけるんじゃ思う？」

ナルトは首をふった。

「わりゃ、ええかげんにせェよ！」魅麒《みき》が吼《ほ》えた。「もうどうにもならん！　あの象はもうだれにも止めれんぜよ！」

「どうにもならん？」魅尼《みに》は魅麒《みき》を見下ろす。「おまさん、時に遇《あ》えば鼠《ねずみ》も虎《とら》になるち言うがぜ……ナルトをなめたらいかんぜよ！」

その剣幕《けんまく》に魅麒《みき》がグッと言葉を呑《の》む。

「象どもは儵《しゅく》の里にある魔界の気に呼ばれゆうがじゃ」魅尼《みに》はナルトにむきなおった。

「ええか、ナルト、あの象は魔界へ帰ろうとしゆうだけぞね」

「ど、どういうことですか……魅尼《みに》姐やん？」

「禁術で呼び出された魔物は、いずれ魔界へ帰るぞね。象が儵《しゅく》へむかいゆるゆーことは、ひょっとすると儵《しゅく》に魔界への抜け道ができちゅうがかもしれん」

「！」

レンゲの部屋の壁に描かれた真っ赤な羅針盤《らしんばん》——ナルトにはそれが、はっきりと見えた。

「オレ、知ってます！」

「この世のものはみんな円を描いちゅう」ナルトの耳には魅尼《みに》の声がレンゲの声と重《かさ》なって聞こえた。「有の行き着くところは無、無の行き着くところは有ぞね。すなわち陰は陽、陽は陰。……トラから聞いたが、ナルト、おまんの背中に走火入魔《そうかにゅうま》の呪印《じゅいん》があるがか？」

うなずく。

「その呪印はな、お前が混沌《こんとん》に受け入れられた証拠ぞね」いずれお前のその忠誠心が試されるときがくる。なぜなら、お前も混沌に愛されし者だからだ――

「つまり……」ナルトは粘《ねば》つく口を動かした。「もしオレがあの象どもより先に魔界への抜け道に飛びこめば、抜け道の陰《いん》のエネルギーが満たされて、陽《よう》に転じるかもしれないってことですか?」

「無理じゃ」と、魅麒《みき》。「陽のエネルギーと陰のエネルギーはおたがいに反発する。いくら呪印があったきって《からといって》、おまんがその抜け道に近づけるとはかぎらん」

「いや……」と、ナルト。「レンゲはこの呪印はトンネルみたいなものだと言いました。この呪印を持つ者すべてをつないでいると……」

「おまんを呑みこめば、魔界の気が陽に転じるかもしれん。それで魔界への抜け道が閉ざされて、象どもは行き先を見失うかもしれん」魅尼《みに》はつけ加えた。「けんど、そうじゃないかもしれん」

「そんなもんはただの推測ぜよ……いや、ただの希望ぜよ」魅麒《みき》が苦しそうに言葉を継《つ》ぐ。

「それに、そんなことをすれば……ナルト――おまんは死ぬぜよ」

「だけど……」ナルトはゴクリと固唾《かたず》を呑んだ。「それで、今度こそあの象どもを消せるんですね？」

「わからん」魅尼《みに》がきっぱりと言った。「これは賭《か》けぞね」

「だらしいぜよ、ナルト……」

「象どもは止まるかもしれんし、行き場を失のうて暴れだすかもしれん。もっと被害が大きゅうなるかもしれん」魅尼《みに》は言葉を切って、ナルトを見すえた。「どうするかは……おまんが決めろちや、ナルト」

ナルトはゆっくりと遠ざかる百亀山《ひゃっきざん》に目を走らせた。

嚙《か》み殺《ころ》したような笑い声にふりかえると、混《こん》の忍たちがすぐそこまで迫《せま》っていた。

「クックックック……」そのうちのひとりが言った。「諦《あきら》めろ。儵《しゅく》はもうおしまいだ。世界は混沌《こんとん》へもどるんだ」

諦める……？

いや、それ以前の問題だ。

もう……オレにはチャクラが残ってねェ……

「やれやれ……」と、魅麒《みき》。「せわしないぜよ」

「どうするがじゃ、ナルト!?」魅尼《みに》がどやしつける。「男やったら、覚悟を決めろちゃ!」

ナルトは動けなかった。

諦めろ……諦めちまえ……

心が叫ぶ。

そうすれば、楽になれる。お前はやれるだけのことは、もうやったじゃないか……あの羅針盤に飛びこめば命はない……そんなことをしても、白象どもが消えてくれるという保証はどこにもないんだぞ!

——いつかぜってーに忍は道具だなんて言われねェ世の中にしてやるんだ……

「………!」

ナルトの耳に甦《よみがえ》ったのは、自分の声——腹の底から、胸の一番奥から湧《わ》き上《あ》がってくるような自分自身の声だった。

レンゲをぜったいに守ってみせるというツユとの約束を破り、里をぜったいに守るという自分との約束も果たせない——

「どうやら観念したようだな」敵が嘲笑《あざわら》った。「そうだ。もうお前にできることは、なにもねェんだよ。クックックックッ……」

もしここで諦めてしまったら、オレにいったいなにが残る……？

人がほんとの意味で理解し合える時代はかならずくる——シマに堂々とそう大見得《おおみえ》を切ったのは、ナルト、てめー自身じゃなかったのかよ⁉

——あたしたちのほうこそ……あんたのド根性には何度もたすけられたんだもん……

そして、ツユの声が世界にやさしく満ちる。

「やっぱ、まだ諦めるわけにはいかねェ」敵をにらみつけながら、ナルトは言った。「魅《み》麒《き》兄やん、魅尼《みに》姐やん……ここは、おふたりにおまかせしてもいいですか？」

「ナルト、おまん……」

魅麒《みき》がうめき、魅尼《みに》がうなずく。

「歯を食いしばって、踏ん張って……忍《しの》び堪《た》えるから……」ナルトの目がギラリと光った。

「オレは忍なんだ」

6

柳生《やぎゅう》ムエイと別れたツユは、里の門で迦楼羅《かるら》をのりすて、大声で呼ばわりながら、倏《しゅく》の大通りを駆けた。

「みんな、逃げて！」声をふりしぼって叫びながら、執務殿《しつむでん》にむかってひた走る。「は、早く避難して！」

道行く人々が、不思議そうにふりかえった。

「ひ、東へ！　みんな、東のほうへ早く逃げて！」

階段のところへさしかかったとき、ひとつの影がツユの前にすっとあらわれた。

「どうした、ツユ？」

「シュウ先生！」ツユは中腰になり、呼吸を整《ととの》えながら言った。「禁術が……愚公移山《ぐこういざん》が発動されました！」

「なに！」

「いま……いま、ナルトがひとりで戦ってます……あたし、あたし……」ツユはすっかり

取り乱している。「里の人たちを避難させなくっちゃ……あたし……ナルト……いかなきゃ」

「落ち着けツユ」シュウがツユの肩を両手で掴《つか》む。「いったいなにがあった⁉」

「レン……」

ツユは口を開いたが、言葉は出てこなかった。レ、レンゲが混の里へいってしまった。レ、レ、レ、レ、レ、レンゲがカオスになった。レンゲは傓を滅ぼそうとしている――口からあふれようとするそんな言葉を、ツユは必死で呑《の》みこむ。

「それより……先生、みんなを避難させてください！」

「落ち着くんだ、ツユ」シュウはツユの目をまっすぐに見た。「愚公移山《ぐこういざん》は謎に包まれている。発動したからといって、傓《しゅく》にくるとはかぎらない」

「くるのっ！」

ツユの剣幕《けんまく》に、シュウの眉間《みけん》にしわが寄る。「なぜそう言いきれる？」

「レンゲが言ったの！『傓《しゅく》は滅《ほろ》びる運命にある』って……」

言ってしまってから、ツユはハッと息を呑んだ。

「レンゲ？」シュウが半眼《はんがん》になって言った。「お前はレンゲに会ったのか？」

ツユは唇《くちびる》を噛《か》んだ。

「お前たちの任務はレンゲを里へ連れ帰ることだったはずだぞ」

「任務には失敗しました！」ツユがわっと泣《な》き崩《くず》れた。「あたしたちはなにもかも失敗したんです！」

「……」

「だけど……だけど、ナルトが言いました。すべての任務は里を守るのが目的なんだって。だから、あたしはあたしにできることを……あたしなんか、なにもできないけど……でも、それでも、あたしも諦《あきら》めたくないから！」

「ツユ……」シュウが静かに言った。「お前も、ナルトも、レンゲも、オレの大事な教え子だ。お前たちに害をなす者を、オレは許さない」

ツユとシュウの視線が交《まじ》わる。

「先生……あたし……レンゲはもう、あたしの知っているレンゲじゃ……」

「まあ、いいよ」

「……」

「言いたくなきゃ、言わなくてもいい」シュウがにっこり微笑《ほほえ》んだ。「オレはお前たちを

信じてるよ」

ツユの目から涙がぽろぽろと落ちた。

「よしよし」シュウがツユの頭を撫《な》でる。「キツかったな、ツユ」

涙といっしょに、胸のなかに抑《おさ》えこんできたものが、あふれた。

しゃくり上げながら、ツユはシュウに打ち明けた。レンゲと会ったこと、レンゲの父親の百足《ももあし》クヌギが生きていたこと、混《こん》の里長《さとおさ》のカオスはその百足《ももあし》クヌギにほかならないこと、レンゲの胸の呪印《じゅいん》のこと、ナルトの背中の呪印のこと——

シュウは一言《ひとこと》も口を差しはさまずに、ツユの話をおしまいまで聞いた。

「レンゲがどうしちゃったのか、あたしにはわかりません……」ツユは言った。「でも、あたしにはどうしてもレンゲが……でも、百亀山《ひゃっきざん》が里にむかってるのは事実で……」

「ツユはレンゲのことが大好きなんだな」

「え……?」

「見てれば、だれだってわかるよ」

ツユがこくんとうなずく。

「儵《しゅく》の三忍《さんにん》と呼ばれるようになったお前に、もうオレが教えてやれることはないと思って

た。だけど、まだひとつあったみたいだよ」

「先生……」

「いいか、ツユ。覚えておけ。人には悪霊《あくりょう》がとり憑《つ》くことがある。その悪霊の名前はな……」シュウが言った。「思想だ」

「思想……」

「オレやお前やナルトは、おなじ悪霊にとり憑かれている。それは、倏《しゅく》の里を命がけで守らなくてはならないという思想だ」

「なんか……先生の言うこと、なんとなくわかります」

「そして、レンゲには別の悪霊がとり憑いてしまったんだよ」

「はい」

「どっちが正しいかなんて、証明のしようがない」

「じゃあ、あたしたちは……あたしたちは、どうすればいいんですか？」

「迷ったときの方法を教えてあげるよ」

ツユがうなずく。

「いいか、ツユ。迷ったときは、一番幸せな風景を想《おも》い浮《う》かべるんだ」

「一番……幸せな風景」

「そうすれば、自分が何者かがわかるから」

「あたし……」

「目を閉じてごらん」

ツユは言われたとおりにした。

「なにが見えるか、よく目を凝《こ》らすんだ」

ツユが見たもの、それは――ナルトの後姿《うしろすがた》。バカで、エロたわけで、おっちょこちょいで、がむしゃらで……どんなに踏みつけられても、けっしてへこたれないド根性。

はじめてナルトと出会ったのは六歳のとき。そのとき、あいつはこう言ったっけ。「はじめましてだな……オレ、ナルトってんだ！ ラブレターはあとでいいぜ。よろしく！」

あのとき、あたしの目はナルトのとなりのレンゲに釘《くぎ》づけになってて――

「ツユ」闇《やみ》のなかで声がした。「お前たちは任務に失敗したかもしれないけど、一番大切なことはちゃんと掴み取ってきてるよ」

「先生、里の人たちを避難させて」目を開くと、ツユは涙を拭《ふ》き、切れた唇をキリッと引きしめた。「あたし……ナルトのところにもどります」

7

残ったわずかばかりのチャクラをふりしぼって、ナルトは里へと急いだ。
枝から枝へと跳《と》びうつる。
あとすこしで儵《しゅく》の里というところで、敵に追いつかれてしまった。
肩越しに見やると、〝？〟の額《ひたい》あてが目に入った。
一、二……ナルトは敵の数を確認した。三人。
ふつうの状態なら、どうということもない数だが――
くそっ、チャクラが足《た》りねェ！
ナルトはどうにか印《いん》を結び、技《わざ》を出す。
「分身の術！」
が、残ったチャクラでは、分身をふたりつくり出すので精一杯だ。
三人のナルトがそれぞれ別の方向に跳ぶと、敵もひとりずつそのあとを追った。
よし、とりあえず、これで相手はひとりだ！

ナルトは樹から樹へ、枝から枝へと跳びつづけた。こんなところで、もたもたしてはいられない。

一刻も早く里に帰らなくては！

と、背後から空気を裂《さ》くような音が近づいてくる。

ナルトがとっさに樹の陰《かげ》に身を寄せると、敵の投げた短刀が、カカカカッ、と幹に突き刺さった。

「そろそろ観念したらどうだ？」声がした。「鬼ごっこもそろそろ飽《あ》きてきたぜ」

肩で息をしながら、ナルトは腰の雑嚢《ざつのう》を探った。クナイが一本と、煙玉《けむりだま》がふたつ。

すかさず煙玉をとり出し、後手《うしろで》に敵にぶつける。

ボンッ、という破裂音につづき、敵が煙に巻かれた。

樹の陰から飛び出したナルトは、クナイを握《にぎ》りしめ、煙のなかの影に挑《いど》みかかる。

ギンッ！　ギンッ！

ギンッ！　ギンッ！

刀身のぶつかり合う音が森に谺《こだま》した。

「ぐあ！」

思わず膝《ひざ》をついた。煙がゆっくり晴れると、目の前に敵の短刀があった。

「諦《あきら》めろ」と、混《こん》の忍《しのび》が言った。

ナルトは膝に手をつき、どうにか体を押し上げながらつぶやいた。「一言《ひとこと》いいか……」

「聞く気はねェ……」そう言うなり、短刀を構《かま》えた敵が体ごとぶつかってくる。「もう、くたばれ！」

その勢いで、ナルトの体が樹の幹に押しつけられた。

「オレが諦めるのを――」つぎの瞬間、ナルトの体が、ボンッ、とはじけて煙と消え、本体が敵の背後にあらわれた。「諦めろ」

首のうしろに手刀《しゅとう》をたたきつけてやると、敵はドサッと崩《くず》れ落《お》ちた。

「くっ……」倒れた敵が嘲笑《あざわら》う。「オ……オレを倒しても、またつぎの刺客《しかく》がこの里を襲《おそ》う……」

ナルトは静かに敵を見下ろした。

「ケケケ……オレたちが呪《のろ》われた忍の世界に……生きているかぎり平穏《へいおん》は……ない」

「なら……オレがその呪いを解《と》いてやる」ナルトは消えゆくチャクラをどうにか束《たば》ね、やっとの思いで立っていた。「平和ってのがもしあるなら、オレがそれを掴《つか》み取《と》ってやる！

オレは諦めない！」

「……」

双方《そうほう》の視線が交《まじ》わる。

木の葉が音もなく舞い落ちた。

「き……きさまは……？」

――象《ぞう》どもは儵《しゅく》の里にある魔界の気に呼ばれゆうがじゃ……

ナルトは樹々のあいだから青空を仰《あお》ぎ見《み》た。

――おまんを呑《の》みこめば、魔界の気が陽に転じるかもしれん……

いつの日か、こんな気持ちのいい空の下で、すべての人が笑い合える日がくるのだろうか？

――そんなことをすれば、ナルト、おまんは死ぬぜよ……

「オレの名は――」その手がすっと上がり、自分の胸をドンッと指《さ》す。「ナルトだ」

エピローグ
いつか、きっと

長い髪、着流《きなが》しの背に百足《むかで》の染《そ》め抜《ぬ》き——

レンゲのあとを尾《つ》けながら、シマの心はひどくざわついていた。

なんなんだ、この感覚は?

カオスの死体から這《は》い出《だ》したあのレンゲとかいう男は、ニカクを殺した。そして、たしかにこう言った。これからは、オレがカオスだ——

だとしたら、この男はここで殺しておいたほうがいい。シマはクナイを握《にぎ》りなおした。

第二のカオスをのさばらせておけば、またおなじことがくりかえされる。

ふりかえると、ゆっくりと動く百亀山《ひゃっきざん》が見える。

「なぜ、オレを尾ける?」

シマの顔から血の気がサーッと引いた。ふりむきざま、クナイを飛ばす。

たしかにレンゲにあたったはずのクナイは、しかし、陽炎《かげろう》のようにゆらめく体をすり抜けて、樹に突き刺さった。

シマはクナイを握りしめて、身構《みがま》えた。

「その額《ひたい》あて……」レンゲが言った。「混《こん》の忍《しのび》だな？　ならば、オレはお前の敵じゃない」

「お前はウチの敵だ」

「理由を聞こう」

「禁術を発動したからだ」

「それは、世界をあるべき姿にもどすためだ」

「黙れ！」シマは恫喝《どうかつ》した。「禁術が悪いのは、ウチのこの胸がちゃんと知ってんだ」

レンゲは不思議そうにシマを見つめ、それから口を開いた。「かつて、オレにもそういうことを言う友がいた」

「……」

「まっすぐで、単純で……」言い終わる前に、レンゲはもうシマの目の前にいた。「なにもわかってないやつだった」

シマは反射的に跳《と》びのこうとしたが、レンゲの手のほうが速い。

ドスッ！

胸の真ん中を指で突かれたシマは、そのまま地面に崩《くず》れ落《お》ちた。

「経絡《けいらく》を突いた。お前はしばらく体を動かせない。言え」レンゲは腰の剣を抜き、切っ先をシマの喉《のど》に突きつけた。「なぜオレを尾けた？」

ゼェ、ゼェ、あえぎながらも、どうにか声が出せるようになると、シマはレンゲをにらみつけた。

「その友ってのは……ナルトのことか？」

「……」

「お前は、ぜんぜん関係のない人たちを皆殺しにした」唾《つば》を呑《の》む。「いまもおなじことをしているし、これからだってそうするに決まっている。山に押しつぶされた人々の無念が、お前にわかるか？」

「そうか、ナルトの仲間か……だったら、殺しておくか」

シマはレンゲから目をそらさない。剣の切っ先が首にわずかに食いこみ、血が一筋《ひとすじ》、ツーッと流れた。

大地がふるえたのは、そのときだった。

レンゲの目が西の空に飛ぶ。

大地のゆれはすこしずつ小さくなり、やがて、完全にやんだ。

あとには、風だけが吹いていた。

かなり長いあいだ、ふたりは身じろぎひとつしなかった。

「破られたか……」

レンゲはひとり言《ごと》のようにつぶやき、顔を伏《ふ》せ、それから剣を鞘《さや》に収めた。

「かつての友にめんじて、お前は生かしておく」

くるりときびすをかえすと、レンゲは着物の裾《すそ》を風にたなびかせ、混《こん》の里へと去っていった。

ほんの一瞬だったが、シマにはこの男の目が、すこし潤《うる》んでいるように見えた。

体が動かせるようになると、シマは半身を起こして、すっかり位置のずれた百亀山を見わたした。

それから立ち上がり、儵《しゅく》の里の方角へと歩きだす。

山は静かで——まるで、もともとそこにいたんだという貌《かお》をして、そこに在《あ》る。

青い空が、まぶしい。

世界はキラキラと輝いていた。どこまでも、どこまでも……

――このゴタゴタがすっかりカタづいたら、いっぺん儵《しゅく》の里を案内してやるよ……

動かない百亀山を目の端《はし》に残しながら、シマはいつしか草原を走っていた。

――そんときは、オレが世界一美味《うま》いラーメンをおごってやっからよ……

きっとだぞ……ナルト。
シマは風のように走った。
ナルトの、あの笑顔が見えていた。

著者紹介

自来也

木ノ葉隠れの里生まれ。妙木山での仙人修業を経て、執筆活動に入る。
弟子、長門の言葉に着想を得た本書がデビュー作となる。
座右の銘は「座って半畳、寝て一畳」

岸本斉史

1974年11月8日生まれ。岡山県出身。'96年漫画『カラクリ』でデビュー。'99年より表題作にて週刊少年ジャンプ連載開始。現在に至る。趣味は映画鑑賞。

東山彰良

1968年台湾生まれ。第1回「このミステリーがすごい!」大賞銀賞・読者賞を受賞し、'03年『逃亡作法 TURD ON THE RUN』で作家デビュー。'09年『路傍』で第11回大藪春彦賞を受賞。'15年『流』で第153回直木賞受賞。著書多数。

参考文献　岸陽子訳『中国の思想　荘子』徳間書店

本書は書き下ろしです。

NARUTO-ナルト- ド根性忍伝

2010年8月9日　第1刷発行
2020年9月9日　第13刷発行

著者　岸本斉史◉東山彰良
編集　株式会社　集英社インターナショナル
〒101-8050　東京都千代田区一ツ橋2-5-10
TEL　03-5211-2632(代)
装丁　高橋健二(テラエンジン)
編集協力　添田洋平
発行者　北畠輝幸
発行所　株式会社　集英社
〒101-8050　東京都千代田区一ツ橋2-5-10
TEL【編集部】03-3230-6297
【読者係】03-3230-6080
【販売部】03-3230-6393(書店専用)
印刷所　共同印刷株式会社

Printed in Japan　ISBN 978-4-08-703229-1 C0093

JUMP j BOOKS